STRYD Y GWYSTLON

STRYD Y GWYSTLON

JASON MORGAN

Argraffiad cyntaf: 2022

© Hawlfraint Jason Morgan a'r Lolfa Cyf. 2022

Dymuna'r cyhoeddwyr gydnabod cymorth ariannol
Cyngor Llyfrau Cymru

Llun: Steffan Jones-Hughes
Cynllun y clawr: Sion Ilar

Rhif Llyfr Rhyngwladol: 978 1 80099 205 4

Cyhoeddwyd, rhwymwyd ac argraffwyd yng Nghymru gan
Y Lolfa Cyf., Talybont, Ceredigion SY24 5HE
gwefan www.ylolfa.com
e-bost ylolfa@ylolfa.com
ffôn 01970 832 304
ffacs 832 782

Rhif 1

PHOENODD Y GLAW erioed mohona i. Byddai'n well gen i fod allan ynddo heddiw nag yma fan hyn yn gorwedd yn ddiog, wrth i lwydni'r awyr ymdreiddio i'r stafell a'i blino. Yn aros iddo Fo ddychwelyd, yn llygadu'r clo'n ddi-baid, a phob sŵn bach sy'n dod ohono'n fy neffro o'm trwmgwsg effro hir. Ro'n i'n arfer mwynhau cerdded a rhedeg a chwarae yn y glaw, a doedd fawr o ots gen i le fydden i'n mynd. Roedd bob dydd yn antur fach newydd, er yr awn ar yr un hen lwybrau. Ew, ro'n i'n mwynhau. Cawn i sbrint bach ar hyd glannau'r afon unsain, filsain, ac yn aml byddwn i'n neidio i mewn iddi yn nyddiau hwyr yr haf a theimlo bollt o lawenydd yn mynd drwof wrth i'w hoerni fy mywiogi. Byddai'r lleng o fursennod bychain yn hidio dim arnaf, ac weithiau byddai pysgodyn chwim yn neidio o'r dŵr, fel petai'n dweud helô wrtha i, wrth i'r dydd araf dreulio a'r pyllau dduo dan freichiau'r coed. Pob arogl yn llenwi fy mhen – y rhedyn ifanc yn deffro ger y lonydd distaw ym moreau'r gwanwyn, a sglein llachar heulwen hydref ar y môr mawr pell. Ro'n i'n hoffi edrych ar y môr ond roedd yn fy nychryn hefyd. Es i yno unwaith. Roedd yn oerach ac yn wylltach na'r afon; yn hallt ei flas a'i fwriad, ac roedd y gwymon pydredig yn drewi ac ofnais y byddai'r cerrynt yn fy nwyn ymaith. Ro'n i'n falch o gyrraedd y lan.

Gen i dal atgofion o'r dyddiau hynny, wnes i eu cadw'n fy mhen yn glyd. Roedden nhw'n hir ac yn hapus, pan fydden ni'n arfer croesi'r nant fach ar ei mwyaf bas, yn anwybyddu'r cerrig camu a allai fod wedi ein cadw'n sych, a dilyn y llwybrau a greon ni rhwng y brwyn i fyny ei glannau serth. A chyrraedd y llyn tan y foel, lle eisteddon ni'n gwylio'r byd am oriau oes – fy holl fyd bach i. Byddai yntau'n rhoi ei law ar fy nghefn yn dyner, a gan f'anwesu, gwrandawon ni gyda'n gilydd ar gri'r barcutiaid dros yr eithin crin wrth iddyn nhw chwilio am lygoden ddŵr i ginio. Ac yna byddai O'n troi ata i, ac edrych i fyw fy llygaid, a dweud, 'Un da wyt ti, fy ffrind. Mi ydan ni'n dau'n ffrindiau gorau oll.' Ac yna am adref, i hwylio'r nos ar y soffa ochr-yn-ochr, heb sŵn i'n canlyn ond y tegell yn canu grwndi o'r gegin.

Ond bob yn dipyn, lleihau wnaeth yr anturiaethau. Dwi ddim yn cofio'r tro diwethaf i ni fynd i'r foel. A dwi'm yn cofio'r tro diwethaf i mi arogli ewyn yr afon, na gweld y mursennod cythryblus na chlywed y barcud. Ro'n i'n deall bod rhywbeth o'i le, ond wyddwn i ddim beth. Daeth yr adeg pan mai prin y bydden ni'n gadael y lôn (fues i erioed yn un am ei cherdded hi); tir meddal y mynydd yn rhy anwadal i'w draed mwyach, er i'm rhai i ysu amdano, a'r nant mor bell â chân y gog. Ac yna fydden ni ond yn mynd i'r siop a'r dafarn, lle roedd pawb yn glên ac yn rhoi sylw imi ddiwedd nos yn arbennig, yn siarad â mi fel petawn i'n syml, ond ro'n i'n deall i'r dim bob gair a phob ystum. Ro'n i'n hoff o fynd yno a gwrando ar bawb yn sgyrsio'n aflafar. Hwn a'r llall yn downio diod, yn chwerthin yn hurt cyn tawelu toc a mynd adref i yfed mwy, rhag i barti bywyd ddod i ben. O, roedden nhw'n siarad nonsens, ond roedd o'n nonsens da, a phob cornel o'r lle'n tynnu am y canol cyn adeg cau. Des i nabod ambell un yn dda, yn enwedig y rhai a oedd yn byw ar ein stryd ni. Tra byddai O yn sipian ei beint o sdowt â'i hen ffrind Meurig, y ddau'n cyfnewid englynion bob yn ail, byddwn i'n mynd at bobl wahanol weithiau pan âi'r sgwrs rhyngddynt yn ddiflas, gan gadw llygad arno Fo rhag ofn iddo ddod o hyd i ffrindiau gwell na fi.

Yna ddiwedd nos bydden ni'n cerdded am adref, i fyny'r allt serth nes dod at ein stryd fach ni. Heibio tŷ Anwen yn rhif 7 ar y pen; Anwen â'r wên fawr allai hudo angel o'i gwmwl, ond ei llygaid trist yn ildio'i cholled. Heibio rhif 6 nesaf – mae dynes ddigon cyfeillgar yn byw yno ond ddeallais i erioed yr un gair ddywedodd hi, er iddo Fo ddeall pob gair rywsut. Roedd O'n glyfar iawn fel hynna.

Heibio cartref Rhisiart lle gallwn yn aml weld ei wyneb syn wedi'i oleuo'n las gan sgrin yng nghanol y tywyllwch, wrth i'r gath syllu arna i'n heriol wrth ddiogi ar sil y ffenest.

Heibio Tom ac Eira'n rhif 4, lle'r oedd y goleuadau'n dal ynghyn tan yr oriau mân ar nos Sadwrn, a'r chwerthin yn braf i'w glywed. Ffarwelio â Meurig wrth ei dŷ yntau, rhif 3, cyn mynd heibio lle Sean a Mari'n frysiog yn anwybyddu'r gweiddi, ac yna i'n cartref ni, rhif 1, Fo'n agor y drws a minnau'n ei ddilyn, cyn setlo yn fy ngwely i feddwl am beth a ddeuai yfory.

Ond bryd hynny oedd bryd hynny, a ffarweliais â hwyl y dafarn. Prin fydden ni'n mynd i lawr ac yn ôl i fyny'r allt i'r siop ychwaith, nes i'm byd o'r diwedd grebachu i'r ardd gefn fach flêr, yn y lle y dechreuodd y cyfan.

Dwi'n cofio'r dechrau. Sut allwn i ddim? Dreulion ni oriau yn yr ardd honno'n fodlon ein byd, yntau'n rhoi ei sylw i blannu blodau a llysiau wrth esbonio imi'r hyn a wnâi fel 'tawn i'n ddisgybl. Minnau wrth ei ochr yn ddiffael achos doedd 'na ddim unrhyw le arall yn y byd yr oeddwn i eisiau bod ond efo Fo. Yr un ddysgodd imi bopeth dwi'n ei wybod. Ista. Aros. Nôl hwnna. Ac mi fyddwn i'n ufuddhau ac yn cael rhyw drît bach blasus bob tro y byddwn i'n gwneud rhywbeth yn iawn, a byddai O'n dweud wrtha i, 'Da iawn. Da iawn, wir. Mi rwyt *ti'n* dallt yn iawn.' Ac mi o'n i. Ymhen hir a hwyr doedd dim angen geiriau, mi wyddwn i beth i'w wneud. Do'n i'm hyd yn oed angen tennyn, achos ro'n i'n gi da. Fyddwn i byth yn poeni ar neb, fel y cŵn swnllyd blin 'na tu ôl i waliau'r ffermydd, dim ond dweud helô a llyfu a snwyro. Achos ro'n i'n gi da.

Roedd O'n gwybod hynny, ac ro'n i'n gwybod hynny. Ac mi roedden ni'n dda efo'n gilydd.

Ond trodd mynd am dro ddwywaith y dydd yn agor y drws i'r ardd imi fynd i wneud fy musnes yn gyflym a snwffian rhwng y blodau. Roedd ei fwythau'n ysgafnach, ond yr un mor dyner ag erioed. Câi drafferth meithrin yr ardd, ac arafai ei gamau wrth ddringo'r grisiau pan ddeuai'r dydd i ben. Ac yna'r diwrnod di-droi'n ôl. Roedd O'n ffwndro yn y gegin wrth wneud ei de, y sosbenni'n ffrwtian a chreu stêm lond y lle a drodd y ffenestri'n farrug; collodd ei gam a disgyn i'r llawr fel un o'r llygod mawr y byddwn i'n eu dal weithiau ac yn eu gollwng yn anurddasol o'm ceg. Clep. Es i banig. Cyfarth yn ddi-ben-draw nes i'r dyn tew drws nesa alw heibio yn gweiddi'n flin a churo'r drws, cyn dod i mewn a thawelu. Mi dawelais innau hefyd. Ro'n i'n teimlo'n saffach o gael cwmni, hyd yn oed gwmni Sean fudr drws nesa. Y foment honno, roedd unrhyw gwmni'n gwmni.

Daeth 'na bobl draw i'n tŷ ni, ac er iddo ryw ddod ato'i hun gwnaethon nhw ei gymryd O i ffwrdd oddi wrtha i p'un bynnag. Es i aros efo Sean, a'i wraig Mari a oedd yr un mor fudr â fo, am gyfnod, wn i ddim am ba hyd, ac er y cawn i fynd am dro unwaith eto doedd fawr o awydd gen i wneud hynny. Ddaethon nhw â'm gwely draw ac mi bwdais yn hwnnw y rhan fwyaf o'r dydd, yn ddistaw bach achos pan o'n i'n udo doedden nhw ond yn gweiddi arna i'n hyll.

Gallwch chi ddychmygu mor hapus oeddwn i pan ddychwelodd O i'r tŷ a ches i fynd yn ôl adref. Yr un dynion ddaeth â Fo'n ei ôl, ond do'n i ddim yn eu licio nhw'n gafael ynddo, fel petaen nhw'n berchen arno. Aethon nhw â Fo i'r gwely, yn ei gario i fyny'r grisiau fel hen gôt, ac er nad oeddwn i fod i fynd i fyny grisiau, es i beth bynnag. A ddywedodd O ddim wrtha i fynd yn ôl lawr achos roedd O'n gwybod, doeddwn i byth am adael ei ochr eto a doedd O byth am i mi wneud hynny chwaith. Drïodd y dynion fynd â fi ffwrdd ond rhoeson nhw'r gorau iddi pan welon nhw'r wên fawr ar ei wyneb wrth iddo sbio arna i. Ro'n i'n fy mhriod le, wrth ei ochr O.

Ac yno fues i'n ddi-baid, ddydd a nos. Ro'n i yno pan oedd O'n pendwmpian ar y soffa drwy'r dydd. Ac ar ymyl y gwely i gadw'r bwganod draw drwy'r nosweithiau trwm. Ddechreuodd 'na ddynes ddod i mewn deirgwaith y dydd i wneud pethau iddo roedd O'n arfer eu gwneud ei hun – mynd â Fo i lawr grisiau yn y bore ac i fyny'n y nos, a'i fwydo Fo cyn fy mwydo i a rhoi rhyw fwythau hanner pan imi hefyd ond doedd hi ddim yn Fo nac yn ei wneud gystal â Fo, er ei bod hi'n ddigon annwyl.

Byddai Meurig yn galw draw bron bob dydd hefyd, ond 'doedd eu sgyrsiau nhw ddim yn chwim fel yr oedden nhw'n arfer bod. Fedrwn i ddweud pryd oedden nhw'n siarad amdana i. Bydden nhw'n edrych arna i mewn ffordd ryfedd, fatha bod ganddyn nhw biti drosta i, a phryd hynny roedd O'n gafael yn dynnach amdana i nag erioed. Feddyliais i fyth y gallai cysur beri'r fath fraw.

Ond ddeallais i ddim mo'r hyn ddigwyddodd wedyn. Un diwrnod chododd O ddim o'i wely. Doedd O ddim yn cysgu fel yr arferai – roedd O'n gynnes yn ei gwsg. Ond y bore hwn, roedd yr holl ystafell yn drewi o oerfel, fel petai ysbrydion yr afon wedi ymlwybro i fyny'r dyffryn a hawlio'r llofft. Wyddwn i ddim beth i'w wneud ond mi wnes yn ôl fy ngreddf. Llyfais ei wyneb a'i bwnio efo fy nhrwyn bach gwlyb, ond rywsut allwn i ddim cyfarth, dim ond udo'n dawel bach. Dim ond gorwedd wrth ei ochr. Dim ond syllu. Yn eisiau ei ddilyn yn fwy nag erioed er ei fod heb fynd i'r unman. Yn syth bin yn gweld eisiau'r dyddiau hynny ar lethrau'r foel yn fwy na dim yn y byd mawr crwn. Neu hyd yn oed yr ardd. Neu ar y soffa. Unrhyw le ond am wely disymud y bore hwnnw, pan wagiodd fy myd yn llwyr.

*

Aeth yr amser heibio. Ddaeth O ddim yn ei ôl – fe'm gadawodd i ganlyn ysbrydion yr afon, ond yn ei le daeth newydd-ddyfodiaid. Symudon nhw fewn ata i, a dechrau newid popeth yn y tŷ fel petaen nhw bia'r lle. Mi ddes i arfer yn o handi. Roedd gen i frith gof o'r Ddynes, er na wyddwn i sut na pham. Roedd ganddi wyneb tebyg iddo Fo. Ac roedd 'na ddau o bobl fychain hefyd, a gan un ohonyn nhw'r un llygada â Fo. Gymeron nhw ata i'n arw, er na wnaeth y Ddynes. Dim ond drwy len dryloyw o amherthyn llwyr yr edrychodd hi arna i erioed. Dwi'm yn cofio iddi fy ngalw i wrth fy enw unwaith, ac felly feddyliais i erioed amdani hi wrth ei henw chwaith. Y Ddynes oedd hi i mi – nid Gwenfair, fel yr oedd hi i bobl eraill.

Roedd hi'n braf eto cael chwarae'n hapus efo'r rhai bychain a minnau bron ag anghofio beth oedd chwarae. Roedden nhw'n sionc ac yn gyflym, er ddim mor sionc a chyflym â fi fach – yn gallu taflu pêl yn bell a cheisio cymryd cadach oddi arna i wrth imi ffugchwyrnu, a rhedeg a rhedeg a rhedeg nes nad oedd modd gwneud mwy. Ond trodd yr oriau'n funudau yn gas o gyflym, a'r munudau eu hunain fyrhaodd wrth i bethau eraill gymryd eu sylw, nes 'mod i'n ddim yn eu golwg nhw mwyach ond rhith o flew a glafoer.

A'r Ddynes – wel, dechreuodd hi gymryd eu lle, ond doedd 'na fyth hwyl ynddi hi. Mi fyddai hi'n mynd â fi am dro byr bob hyn a hyn ar ôl i'r rhai bach stopio, ond roedd yn rhaid imi wisgo tennyn, er na wyddwn i pam. Doeddwn i byth yn mynd yn rhy bell, i ben y stryd fan bellaf, ond gyda hon prin fy mod i'n cael gadael ei hochr cyn ei bod hi'n ei dynnu'n herc a llosgi 'ngwddf. Lwcus fy mod i'n un da am ddysgu. Byddai hi wedi fy nghrogi fel arall dwi'n siŵr.

Mi benderfynodd fynd â fi am dro un dydd, a dwi'n

cofio'n iawn iddi fy nhynnu'n ôl mor gas imi frifo fy ngwddf wrth rif 7 a chrio. Roedd Anwen tŷ pen yno'n cael sigarét tu allan i'w drws, a dechreuodd hi ddwrdio'r Ddynes. Sgrechiodd hithau arna i ac ar Anwen, a'm llusgo'n ôl am adref yn lle mynd am dro. Ond fe welais i, y foment honno, lygada Anwen yn syllu i'm rhai i, yn dweud 'bydd popeth yn iawn, fy ngwas i.' Ac ro'n i'n gwybod am y tro cyntaf ers iddo Fo fy ngadael nad y fi oedd ar fai. Ac nad y fi oedd yr unig un ar dennyn bwystfil chwaith.

Bore 'ma, mi ddeffrois i'n anfodlon. Ches i'm bwyd neithiwr, a ro'n i heb fod am dro ers rhai diwrnodau, dim ond i'r ardd. Dwi ddim yn licio'r ardd newydd. Mae 'na lai o flodau ynddi a lot o raen sy'n teimlo'n drwsgl o dan fy mhawennau. Gwgodd hi arna i eto pan wnes i fy musnes yno. Ond dwi'm yn cael gwneud tu fewn felly wn i ddim beth wnes i'n rong. Pa iws dyfalu? Fedra i ddim gwneud unrhyw beth yn iawn ddim mwy. Roedd fy mol i'n wag fel corlan fynydd a dechreuais i gyfarth. Doeddwn i byth yn cyfarth, nid ers 'mod i'n iau ac yn gwybod dim gwell. Ond ro'n i ar fin llwgu ac yn pledio ar y Ddynes i'm bwydo. Chymrodd hi fawr ddim iddi sgrechian rhywbeth arna i, felly mi ddistewais i, er mai ond isio bach o gig o'r tun, neu hyd yn oed fisgedi sych oeddwn i. Trwynais fy mhowlen ati, a chipiodd hi honno oddi arna i fel fflach a'i gorlenwi efo'r hen fisgedi sych diflas, a'i rhoi ym mhen pellaf yr ystafell, mor bell oddi wrthi hi â phosib.

Ro'n i'n hanner gobeithio y byddai hi'n mynd â fi i'r siop o leiaf, i gael allan o'r tŷ, mi ddes i fwynhau hynny'n fawr. Er ei bod hi'n fy nghlymu tu allan byddai 'na bobl neis yn dod ata i i fwytho fy mhen. Ew, ro'n i'n licio, a 'nhafod i allan yn glafoerio, yn mwynhau cael rhywfaint o awyr iach. Ddaeth 'na hogyn bach ata i unwaith efo rhywbeth melys, ac mi wnes i ei lowcio'n llon, a llyfu ei foch i ddiolch iddo, ond daeth y Ddynes allan o'r siop a gweiddi arna i a tharo 'nhrwyn i, a dwi heb gael mynd i'r siop ers hynny.

Ac felly mae hi eto. Llusgais fy hun o flaen y tân. Mi geisiais i fynd at y bobl fychain gyntaf i gael sylw fel cardotyn ond ches i ddim, a thrïais i fynd ar y soffa ond ces i fy ngwthio ffwrdd yn ddiseremoni – does 'na'm lle i fi ar eu soffa nhw.

Mae hi'n llwyd tu allan, a'r glaw yn taro'r ffenestr denau gan wneud sŵn mawr, fel ewinedd coch y Ddynes yn tapian y bwrdd pan mae hi'n ddiamynedd a thasa ganddi gan gewin. Byddwn i wedi ffeindio ffordd o fod yn fwy o gi bach da da am byth bythoedd taswn i ond wedi gallu mynd iddo, un tro eto, a rhedeg o gwmpas fel ffŵl cyn rholio yn y mwd yn mwynhau teimlo'n fudr ac yn ddireidus, ac yna ysgwyd nerth fy nghorff i gael gwared ohono bob tamaid. Byddai O'n chwerthin yn hapus braf pan fyddwn i'n gwneud hynny. 'Y ci gwirion,' meddai, wrth rwbio tamaid o fwd o'i foch, 'fy nghi gwirion i.'

Ac, wrth gwrs, gadawon nhw, hebdda i. Fel bob dydd, yn

frys i gyd. Wn i ddim i le – i rywle brafiach na hwn mae'n siŵr. A diffodd y tân. Doedd dim angen gwneud hynny a minnau mor fodlon ag y gallwn fod nesaf ato, ond mi arhosais yno i ddal olion y gwres; fi a'm hatgofion, fi a'm gwacter. Ddywedon nhw ddim hyd yn oed ta-ta. Roedd yn gas gen i pan âi O hebdda i, ond byddai bob amser yn edrych arna i cyn gwneud ac ro'n i'n gwybod y deuai O'n ei ôl. 'Pum munud,' arferai ddweud, 'dim ond pum munud' a chau'r drws yn ysgafn bach.

Ac wrth i'r glaw ddal ati i daro'r ffenestr, yn wylltach ac yn dristach nag erioed, dwi'n dal yn meddwl yn fy mêr y daw O'n ei ôl, bob tro mae clo'r drws yn gwneud sŵn, dyna Fo unwaith eto'n effro ac wedi dychwelyd i edrych ar fy ôl. Weithiau yng nghanol nos bydda i'n udo fy mhoen a'm hiraeth, yn meddwl ei fod yn fy nghlywed a'i fod am ddod i'm casglu, cyn cael fy nhawelu gan y Ddynes.

Ond pan ddaw O'n ei ôl drwy'r drws, ac mi wneith, mi eith â fi am dro unwaith eto, a'r tro hwnnw, dwi'm yn amau, ni fydd yna ben i'r daith. Mi awn ni'n ôl i lannau'r afon i fi gael hwyl yn dychryn y chwiaid twp neu ganlyn carreg lefn yn sgimio'r dŵr fel deilen a chynffon o ddafnau arian ar ei hôl. Eith O â fi dros y nant isel i fi gael busnesu rhwng brwyn aflafar awelon haf, a chreu eto antur fach. Dilynwn ein llwybrau rhyngddynt, a choncrwn ni ei llethrau serth yn ddi-anadl ddedwydd yn llonnaf awr y dydd. Awn i'r llyn bach tan y foel i loetran, ochr yn ochr, yr unig ddau ffrind yn y byd mawr crwn, i glywed cri'r barcutiaid uchel wrth iddyn nhw chwilio am lygoden ddŵr i ginio a gweld eithafion y byd – fy holl fyd bach i – y tu hwnt i'r tonnau o eithin crin hyd at y cwmwl olaf pellaf un. Ni ein dau unwaith eto'n eistedd am oriau oes, fynta a'i fraich ar fy nghefn yn dyner, ac yn dweud wrtha i am yr un tro olaf, 'Un da wyt ti, fy ffrind. Mi ydan ni'n dau'n ffrindiau gorau oll.'

Rhif 2

'BYTA HWNNA,' MEDDAI Mari, gan roi platiad o grympets i Sean.

'Sna'm digon o fenyn arnyn nhw,' meddai o.

'Ma llwyth o fenyn. Ti'm angan mwy. Ti'n ddigon tew fel wyt ti.'

'Ti 'fyd.'

'Ia, dyna pam ddudon ni fod ni am fyta llai, 'de.'

'Ond 'dan ni'n cael tri crympet bob tro, tydan? Wel, ers i chdi ferwi'r wyau 'na oedd 'di mynd off a nath pawb fynd yn sâl.'

'Ia, ond ma 'na lai o fenyn so ma'n iach, tydi? Jyst cau dy geg a byta nhw, Sean.'

Symudodd Mari'r cylchgronau i'r llawr yn flêr, gyda gweddill y sbwriel, cyn rhoi ei phen-ôl mawr ar y soffa druan, honno'n cario llwyth y ddau dew hyn yn feunyddiol. Fawr gwell oedd byd y bwrdd bach o'i blaen yn bentyrrau o hen lythyrau a manion ac ambell blât fu yno ers sbel, menyn crympets a fu wedi caledu a gronynnau llwch wedi ymgartrefu arnynt.

'Dan ni'n gweld y plant heddiw, Maz?' gofynnodd Sean, 'Dwi'm yn cofio.'

'Be ydi hi?'

'Bora Sadwrn, jyst abówt.'

'O ia.' Defnyddiodd ei llawes i ddal y menyn a oedd yn ymlwybro yn ludiog i lawr ochrau ei cheg. 'Ydan felly i fod.' Edrychodd tuag at y ffenestr; roedd yn annifyr tu hwnt tu allan. 'Ella fyddan nhw ddim isio mynd i nunlla beth bynnag, ma hi'n piso bwrw.'

Syllodd Sean ar ei grympet olaf, cyn ei ddifa â dau frathiad ffyrnig. 'Afiach, tydi,' meddai â'i geg yn llawn, 'tydyn nhw ddim yn licio mynd allan eniwe, nagdyn? Mond isio chwara ar y ffôns ma'n nhw, dydyn nhw byth efo ddim byd i'w ddeud wrtha ni. Ma Mam a Dad chdi'n lyfio cael nhw yno so fyddan nhw'n ddigon hapus cadw nhw.'

Roedd hynny'n gwneud synnwyr i Mari. 'Ia,' meddai, ''sa ni'n gallu mynd i fanno os ma'n gwella, ond does 'na ddim pwynt fel arall. 'Sa hi'n haws jyst mynd wsos nesa.'

'Nunion. Nathon nhw'm deud bo ni'n gor'od gweld nhw bob wythnos, naddo?'

'Naddo.'

Roedden nhw wrth gwrs yn caru'r plant. Ond roedden nhw'n drafferth hefyd, a dydi cariad ddim yn drech na phopeth yn y byd. Prin fod gorau unrhyw un yn ddigon iddo, ac mae hi'n gymaint yn haws gwneud eich gwaethaf.

'Ti'n meddwl 'sa well i chdi ffonio mam chdi i ddeud felly?' holodd Sean. Meddyliodd Mari am y peth. Dyna oedd y peth iawn i'w wneud, mi wyddai, ond roedd o'n *drafferth*, a'r peth olaf oedd ei angen arni ar fore Sadwrn oedd clywed y siom yn llais ei mam.

'Na, fydd hi'n gwbod os 'dan ni'm yn mynd. Mae hi'n dda fel'na. Dydi hi byth yn disgwyl i ni fynd yno beth bynnag, a fydd hi ddim isio gweld chdi, na fydd?'

Dwi'm isio'i gweld hi chwaith, meddyliodd Sean yn bwdlyd. Fuodd o erioed yn ddigon da i fam Mari. Snob oedd hi, yn ei feddwl o, yn trio gormod efo popeth. O'r funud gyntaf welodd hi fo rai blynyddoedd yn ôl mi drodd ei thrwyn arno. Fuon nhw erioed yn gas â'i gilydd, chwaith; ac roedd o hyd yn oed yn arfer gwneud ymdrech, yn tynnu ei choes a dweud jôcs sâl, ond chreodd hynny ddim argraff arni tu hwnt i wên wan, a wyddai o ddim beth i'w ddweud wrthi mewn sgwrs. Beth ddiawl oedd gan hogyn pymtheg oed i'w ddweud wrth fam ei gariad? Mi gofiai yn iawn fynd draw yno i weld Mari pan oedden nhw'n dechrau canlyn, yn ceisio gwneud sioe ohono'i hun yn ei jîns gorau a'i grys smart. Doedd ganddo ddim ond un, a syllodd hithau'n gynyddol letchwith ar ei sgwariau gleision golygus bob tro yr oedd o'n gwisgo'r crys.

Roedd y tad yn un gwahanol, dyn difater oedd yn debycach i Sean, wedi priodi a dofi'n araf bach, a bodloni ar gael ei drôns wedi smwddio a chael rhywbeth i swper bob nos. Hen ffasiwn? Oedd. Ond parhau mae rhai pethau er yr hoffen ni feddwl fel arall, ac roedd Sean yn fwy na hapus gyda hynny. Er, hoffai o rywbeth da i swper bob nos hefyd, ar yr amod nad fo oedd yn ei wneud.

Roedd Mari'n gwybod beth oedd yn mynd drwy'i ben. 'Stopia feddwl amdanyn nhw, 'nei di?' Edrychodd tuag at hen gerbyd bach plastig a oedd yng nghornel yr ystafell fyw. 'Pryd ti am gael gwared ar hwnna?' gofynnodd gan bwyntio, 'ma'n flêr yn fan'na.'

'O'n i'n meddwl 'sa hi'n well ei gadw fo, rhag ofn bydd Kyle isio fo eto,' dywedodd, yn ceisio cyfiawnhau ei fwriad i'w gadw.

'Sean, nath o 'rioed chwarae efo fo. Iesu Grist, nathon ni wario llwyth o bres Dolig yna, a nath o 'rioed edrych arno fo. 'Run peth efo sgwtar Meinir, chwara efo nhw ar ddiwrnod Dolig ac anghofio amdanyn nhw a mynd yn ôl i chwara efo'r ffôns. Diawliaid bach.'

Chwerwodd Mari at ei hepil. Roedd ganddi gymaint o obeithion am y Nadolig hwnnw, eu Nadolig cyntaf yn eu tŷ nhw yn lle mynd at ei rhieni hi bob blwyddyn. Roedd y ddau ohonyn nhw wedi cadw'u pres ers misoedd i geisio gwneud diwrnod da ohono, er iddi orfod hefru'n ddi-baid ar Sean i wneud hynny. Ac am unwaith, mi lwyddon nhw. Digon i brynu anrhegion call i'r plant, a swae i'r dref i nôl bwyd Dolig da: cracers, mins peis – y *works*. Cafodd hi ddiawl o drafferth cael y sgwter mwyaf sgleiniog i Meinir o'r siop; a dweud y gwir, mi fu'n rhaid iddi wthio rhywun arall reit o'i ffordd i'w sicrhau. Roedd cerbyd Kyle yn haws ei gael ond dal yn dolc i'r waled. Fuon nhw brynhawn cyfan yn mynd o amgylch y dref fel morgrug ar gyrch, yn ceisio cael popeth, ac yna, rywsut, llwyddo i gael y cyfan yn ôl ar y bws i fynd adref, ac yna nôl y plant o dŷ ffrind. Cafodd hi wefr o'r holl beth. Mynd i nôl presanta, fel yr arferai hi a Mam ei wneud pan oedd hi'n iau. Gwneud diwrnod ohoni'n y dref, yn hytrach na chlicio ambell fotwm. Teimlodd hi rywfaint fel ei dau fach hi, yn chwech oed yr un, a hithau hefyd wedi dwyn perswâd ar Mam a Dad i ddod draw i dreulio Nadolig atyn nhw.

Trodd yr holl beth yn ormod iddi ar y diwrnod. Roedd y plant wedi agor popeth cyn naw, ac yn gwneud diawl o sŵn wrth chwarae, a Sean fawr gwell yn chwarae efo nhw yn lle ei helpu hi. Roedd hi wrthi'n ceisio coginio cinio iawn, er nad oedd hi fawr o gogydd. Felly chafodd hi ddim cyfle i glirio'r papurach cyn i'w rhieni gyrraedd am un ar ddeg, awr yn gynt na'r hyn a gytunwyd. Wrth gwrs, roedd Mam yn ei dillad gorau, a Dad yn amlwg wedi'i orfodi i wneud ymdrech. Cafodd glamp o sws a choflaid gan Mam, ond nid dyna gofiodd hi, ond yn hytrach ei hwyneb wrth gerdded i mewn. Llithrodd fys anweledig dros wynebau'r silffoedd, yn gymysgedd o anobaith a thrueni. Gallai bron â'i chlywed hi'n holi a hoffai iddi lanhau tamaid. Aeth ati bron yn unionsyth i ddechrau chwilio cypyrddau'r gegin am fag sbwriel i'r papur lapio, a oedd fel llethrau sgio dros yr ystafell fyw, ac yna dod i'r gegin i roi bob bys ag y gallai yn y potas.

'Fedra i dy helpu efo rhywbeth, cariad?' gofynnodd.

'Wel, mi gei di nôl y *veg* o'r *freezer*,' atebodd Mari.

'O... wel ia, wrth gwrs, del.'

Yr 'o...' a'i cafodd hi. Llysiau o'r rhewgell. Fyddai hi ddim gwaeth tasa hi wedi gweini llysiau'n dal yn eu pridd iddyn nhw. Gorchmynnodd i'w mam fynd i'r ystafell fyw i fod efo'i hŵyr a'i hwyres a gadael iddi hi wneud y coginio, er na allai helpu ond dod yn ôl bob munud i fusnesu a gwneud awgrymiadau cythryblus yn rheolaidd a drodd fochau Mari'n goch a'i phen yn dân. A phan gafodd bawb i eistedd am ginio, Sean yn gwneud bwyd y plant a'i mam yn pigo ryw ddarnau o gylch y bwrdd, torrodd ei thad y twrci. Roedd o heb goginio drwodd, a doedd dim amdani ond ei roi'n ôl yn y popty a sglaffio'r llysiau mewn grefi cyn i bopeth arall oeri hefyd – wedi'r cwbl, doedd 'na ddim lle yn y tŷ i gadw chwe phlât yn gynnes.

'Mae'r llysiau'n dda, Mari. Fedrwn ni gael y twrci'n nes ymlaen os tisho, sdi, fydd o'n dda mewn brechdan i swper,' cysurodd Mam. Ond doedd y geiriau hynny'n golygu dim i Mari, achos mi wyddai pawb nad oedden nhw'n cymharu â'r arlwy Nadoligaidd arferol yn nhŷ'r rhieni. Gallai'n hawdd fod wedi lluchio'r cyfan.

Hyd yn oed pan goginiodd y twrci yn iawn bron ddwyawr yn ddiweddarach, doedd neb yn rhy awyddus i gael darn. Ac yna daeth y geiriau a'i lladdodd.

'Ydach chi wedi leicio'ch presanta gan Siôn Corn?' gofynnodd ei mam wrth y plant.

'Oeddan nhw'n iawn, ond ma'ch rhai chi'n well, Nain.'

Yr holl gynilo a safio. Yr holl fynd heb y pethau bychain am fisoedd, y chwilio'n graff yn y siopau rhad a dioddef misoedd o goffi'r siop bunt a chreision meddal i grafu pres at heddiw, a dyna'r diolch a gafodd hi. Roedd Nain a Taid wedi dod â ffôn yr un i'r ddau *ac* yn talu am y cytundeb – Sean wedi cael gair efo'i thad mae'n debyg yn lle bod yn rhaid iddo fo wario. Dylai o leiaf fod wedi dweud wrthi. Ar y soffa'n anwybyddu pawb ond am ei gilydd oedd y plant am weddill y dydd, gan adael gweddill eu hanrhegion yno fel sbwriel. Ac o edrych arnyn nhw o'u cymharu â'r ffonau, sbwriel oedden nhw. Roedd hi mor dwp i hyd yn oed geisio trafferthu.

'Ti 'di darfod efo'r plât 'na?' gofynnodd wrth Sean.

'Do.'

'Rho fo ar y bwrdd, 'ta, fel bod y lle ddim yn flêr.'

Ildiodd yntau i'r cais, ac eisteddodd y ddau'n syllu ar y teledu heb yngan gair.

'T'isio panad, Sean?'

'Ia, iawn,' atebodd yntau heb fymryn o frwdfrydedd. 'Sgynnon ni fisgits?'

'A i weld rŵan. Well bod 'na achos dwi'm yn mynd i nôl rhai heddiw a hithau fel hyn. Sneb call am fynd allan yn y tywydd 'ma.'

Wrth iddi godi gwelodd rywun yn mynd heibio'r ffenestr ar frys mewn côt law.

'O shit,' meddai Sean.

'O shit be?'

'Tom nymbar ffôr oedd hwnna. Nath Megan post ddod â parsel bach 'ma ben bora, achos bod yr hen rech Meurig 'na drws nesa'n rhy slo yn ateb, a Gwenfair yn nymbar wan allan. Rhaid bod hi 'di drysu lle nath hi ei adael o. Well fi ddeutha fo.' Cododd mor araf ag y gallai a chwilio amdano ar y bwrdd, yn anadlu fel sach lychlyd, wrth i Mari fynd tuag at y gegin. Gallai glywed Sean yn agor y drws ac yn gweiddi ar Tom rhif 4, a chlywodd y gwynt yn chwibanu ac yn amddifadu'r ystafell ffrynt o'i gwres, a'r ddau'n siarad wrth y drws yn ddigon cwrtais.

'Neith Tom aros am banad efo ni, Sean?' gwaeddodd. Chafodd hi ddim ateb dros sŵn y tegell a'r meinwynt, a diolchodd am hynny. Wyddai hi ddim pam ddaru hi ofyn yn y lle cyntaf, roedd o'n un o'r pethau 'na mae pobl yn ei ddweud heb feddwl. A meddyliodd hi am y tro diwethaf iddi gael sgwrs fach gyfeillgar â rhywun. Doedd cath dew rhif 5 ddim yn cyfri', yn dod draw a chael tamaid o ham ganddi a thipyn o fwytha, er y bu'n sbel ers i hyd yn oed y fadam ddigywilydd honno alw heibio.

Fyddai Mari ddim yn gweld ei ffrindiau ysgol mwyach, er ei bod hi'n dal yn ddigon ifanc i fod ag ots amdanyn nhw. Un o'r criw clyfar oedd hi, â llawer ohonynt naill ai wedi gadael yr ardal am diroedd bras neu ddim ond rŵan yn dechrau gweld y byd drwy lygaid oedolyn. Na, roedden nhw un ai wedi mynd, neu'n bobl wahanol i'r hyn a gofiai'n yr ysgol. Oedd, roedd hi'n nabod nifer o'r mamau eraill pan ddechreuodd fynd â Kyle a Meinir i'r cylch meithrin, ond roedden nhw'n dod o gylchoedd gwahanol iddi, a phrin yn cuddio'u diléit fod Mari Brêns wedi cael ei darostwng i'w lefel nhw. Roedden nhw wedi gwneud eu dewisiadau ac yn fodlon arnynt. Camgymeriad wnaeth hi, un a'i lloriodd i'r domen gyda nhw.

'Beth oedd y parsel 'na, 'ta?' gofynnodd yn frathog pan ddychwelodd Sean.

'Dwni'm. Tom 'im yn gwbod chwaith. Wedi bod i gnebrwng mêt fo, Gareth, medda fo. Ti'n gwbod, Gareth? Boi doniol. Lladd 'i hun ddydd Mawrth, 'do.'

'O ia, 'de. Glywish i am hynny. Mond yn ei ffortis oedd o, dwi'n siŵr. Ond fyny iddo fo, 'de, ddim byd i neud efo ni,' meddai'n ddi-emosiwn. Doedd hi ddim am smalio bod ganddi otsh. Roedd Sean yn ei nabod fymryn yn well, ond fyddai'r golled ddim yn newid cwrs ei fywyd chwaith a doedd o ddim am dreulio bore Sadwrn mewn cnebrwng. Mae pob twll, yn fach neu'n fawr, yn cael ei ail-lenwi rywsut, rywbryd. 'Pawb yn marw yn y pentra 'ma 'di mynd.'

'Aye,' meddai Sean, 'teimlo fel'na. Snam sbel ers i fo yn nymbar wan farw, nac oes – ydi hi'n flwyddyn?'

'Dwni'm. Ti'n cofio ni'n cadw'r ci iddo fo am bach?'

'Yndw. Oedda chdi isio ci bryd hynny.'

'Wn i. O'n i'n meddwl 'san ni wedi gallu'i gadw fo, mae o'n beth bach del, tydi?'

'Blydi niwsans ddo, doedd, yn cwyno bob munud ac isio mynd allan.'

'Oedd.'

Waeth na'r plant, bosib. O leiaf doedden nhw ddim yn cachu'n 'rardd, ac roedden nhw'n ddigon distaw o flaen y sgrins ddiawl 'na. Plant, cŵn; roedden nhw i gyd jyst yn gyfrifoldeb diangen i roi un crych arall ar yr wyneb bob blwyddyn. Ddim rhyfedd fod Anwen tŷ pen yn edrych gystal, meddyliai Mari, er ei bod hi'n lot hŷn. Roedd hi 'di clywed gan famau'r cylch meithrin iddi golli babi cwpl o flynyddoedd yn ôl, gyda'r rhai oedd ddim hyd yn oed yn ei nabod hi'n dweud mor ofnadwy oedd hynny, wrth i Mari sefyll yno'n fud, heb wybod mewn difrif a oedd hi'n cytuno ai peidio.

Trodd y ddau'n ôl at y teledu i wylio sgym cymdeithas yn ffraeo a gweiddi ar ei gilydd ar lwyfan. Roedden nhw'n falch nad oedden nhw mor afiach â nhw; nhw y bobl gomon heb ddannedd yn sgrechian efo'u gwallt saim a'u hwynebau ffyrnig a thatŵs ar eu talcenni. Roedden nhw'n ddoniol o gomon. Byw mewn fflat, mae'n siŵr, mewn dinas fawr ddidostur, nid mewn tŷ teras bach clyd hanner ffordd i fyny'r mynydd. Na, roedd y rhain yn frid gwahanol iawn o bobl, yn gwneud a dweud pethau ofnadwy i'w gilydd heb reswm yn y byd, jyst fel'na oedden nhw.

'Lle ma'n nhw'n ffeindio'r bobol 'ma dwa, Maz?'

'Gwehilion ydyn nhw, 'de.'

Edrychodd Sean arni'n syn. 'Y?'

'Gwehilion. Ti'n gwbod, y bobol isa sydd i'w cael. Nesi ddysgu hwnna mewn gwers Gymraeg yn 'rysgol. Ro'n i'n dda yn Cymraeg. Ro'n i'n licio cerddi a ballu. 'Swn i 'di aros yn 'rysgol baswn i 'di neud Cymraeg i Lefel A dwi'n meddwl.'

'Tasa chdi heb agor dy goesau, mi fysa chdi!' chwarddodd Sean, yn tynnu ei dafod ati fel tasai hynny'r peth doniolaf ddywedodd o erioed, yn disgwyl slap ysgafn. Ond ni chafodd ond dwy lygad garegog a chylch o geg yn ôl, a thawodd yn gyflym. Ceisiodd adfer y sefyllfa. 'Mond wedi troi mewn i dy fam fysa chdi eniwe. Be 'sa'r *point*?'

Ni wyddai sut y teimlai am hynny. Bod fatha Mam. Y fam y byddai hi'n coginio gyda hi pan oedd hi'n iau, fyddai'n rhoi sws bob nos ar ei thalcen hi cyn cysgu. Y fam y byddai'n eistedd ar ei glin yn y car yn gwylio'r byd ar wib. Y fam fynnodd ei bod yn astudio yn lle mynd allan. Y fam berffaith a wnaeth bopeth yn iawn. Roedd hi wir yn casáu'r ffaith ei bod mor ddibynnol ar ei chymorth. Sut na allai deimlo'n fethiant llwyr wrth ei hymyl hi?

Ond châi hi mo'r cyfle fyth i fod yr un fath â Mam. Cafodd blant yn blentyn ei hun ac all neb aeddfedu dros nos. Na,

cafodd hi ei maglu yn anterth gwrthryfelgar ieuenctid, a'r
sbectol honno ar y byd fyddai ei hunig un arno o'r fan
honno ymlaen.

Un noson fentrus yn eu 'lle nhw' oedd hi, mewn lle
cyfrin ar ymylon y pentref, a drodd yn ddedfryd oes. Dri
mis yn ddiweddarach oedd y tro cyntaf erioed i Mam
sgrechian arni, am fod mor dwp, wrth i Sean, hanner y
broblem, syllu ar y llawr i ddianc ei sylw a llwyddo'n
ddigywilydd. Y boreau o salwch diddiwedd a'r salwch
gwirioneddol o glywed yn yr ysbyty bod ynddi ddau, nid
yr un disgwyliedig. Misoedd o weld siom yn pefrio'n fain o
lygada Mam, a diffyg cysur ei phartner wrth iddo din-droi;
y dyn ddylai fod wedi rhoi cadernid a chariad iddi, ond
a segurodd yn ddi-glem yn lle hynny, am nad oedd eto'n
ddyn fwy nag oedd hithau'n ddynes. Ffraeo dros enwau'r
babis oedd y pethau agosaf wnaethon nhw at gynllunio,
gyda Sean yn hefru arni fod enwau Cymraeg yn stiwpid.

Dim ond Mam a'i cyfeiriodd, a hynny gyda chefnogaeth
orfodol drwy fochau tynn. Ni newidiodd hynny tan wedi'r
enedigaeth boenus, ond wyddai hi ddim pa boen oedd
waethaf; ai ei rhwygo wrth i Meinir ddod i'r byd ynteu'r
ffordd y meddalodd llygaid Mam am y tro cyntaf ers talwm
wrth siglo'r plant yn ei dwyfraich, y gwrthwenwyn i'r
ferch ifanc a deimlodd ei bod yn faen am yddfau pawb ers
misoedd.

'Helpwn ni chdi, cariad. Fydd popeth yn hollol iawn,'

oedd tôn gron bathetig ei mam wedi hynny. Corwyntodd y misoedd nesaf o'i hamgylch; prynu'r tŷ hwn, cael swydd i Sean gyda saer lleol (pharodd hynny fawr o dro), trefnu hynny o les y gallai'r wladwriaeth ei roi iddynt. Cefnogaeth ddidrugaredd, lle allai hithau wneud dim ond am eistedd mewn ystafelloedd diddiwedd, ei mam yn siarad â swyddogion fel petai'n fam i'r tri ohonynt. Nid ildiodd fymryn dros y blynyddoedd. A theimlai Mari ei diymadferthedd yn ei gwasgu'n ro bob dydd, ddim yn gwybod beth i'w wneud am na chafodd y cyfle i'w wneud drosti ei hun. Aeth gyda'r llif. Roedd hi'n rhy wan i'w nofio.

Ond trodd y llif yn drobwll. Trobwll a gyflymodd gan fwyta'r blynyddoedd yn ddi-baid. Do, mi beidiodd yn ysbeidiol, ac yn y seibiau hynny yr oedd rhyw ffurf ar fendith mewn byw wrth weld yr wynebau bychain hynny a ddaeth ohoni'n bywiogi wrth fynd i'r ganolfan hamdden i gael gwersi pêl-droed neu'n dychwelyd adref ar ôl yr ysgol i gacen jam, yn llyfu eu bysedd â diléit munudau lawer wedi'r bwyta, a theimlad gludiog eu dwylo bregus wrth iddi eu glanhau â hances. A'r dyddiau hynny dros yr haf pan oedd y tri ohonynt gartref yn eu diddanu eu hunain cyn i Dad ddod 'nôl, efallai'n darllen llyfr neu wneud rhyw lanast doniol â chlai neu baent. Ond buan iawn y gwnaethon nhw flino ar bêl-droed pan ddaru un o'u ffrindiau gael ffôn drud twp, a dechrau swnian arni am gael eu rhai eu hunain, yn gwbl anniolchgar o'i hymdrechion yn talu iddyn nhw wneud pethau eraill. A phan glywodd Nain fod Mam yn gwneud cacen jam iddyn nhw, o fewn dim roedd wedi dechrau gwneud rhai hefyd, ac roedd cacen jam Nain yn well nag un Mam, wrth gwrs. A Dad gafodd y sylw bob tro y dychwelodd o'r gwaith – yn sydyn iawn yr oedd hi'n hen newyddion iddynt, yr oriau fu wedi diflannu fel einioes pry dan bapur newydd.

Ac ar ôl y Nadolig hwnnw a ddaeth i'w chof yn gynharach, rhoddodd y gorau i ymdrechu. O lywio rhwng gorymdrech ei mam a da-i-ddimrwydd Sean, difaterwch ddaeth i'w rhan. Werthfawrogon nhw mo'u dillad newydd, felly chawson nhw ddim rhai wedyn. Ddiolchon nhw erioed am y bwyd y trafferthodd ei wneud, yn ailadrodd cymaint yn well oedd bwyd pawb arall a phobman arall yr aethon nhw, felly mi gawson nhw beth bynnag oedd yn y tŷ. A phan wrthodon nhw, yn ddigywilydd, i gadw'r ffôn, hyd yn oed am yr eiliad fyrraf, roedden nhw'n haeddu'r beltan ddilynol. Yr oedd wedi chwerwi i'r graddau na feddyliodd ddwywaith am y peth. Na, chafodd hi erioed beltan yn blentyn ei hun, ond petai ganddi rieni llymach efallai – efallai – y byddai wedi cael un ambell dro ac ni fyddai ei byd fel hyn. Roedd hi'n gwneud ffafr â nhw; ffafr nad oedden nhw'n ei haeddu. Nhw, y ddau a drodd nwyd ifanc ei chariad yn ddefod ddiflas, a oerodd unrhyw gynhesrwydd a oedd ganddi at ei mam, ac a ddygodd y wefr o feddu ar ddyfodol ganddi. Nid hi oedd yn ei dyled iddyn nhw.

Roedd ei choffi'n oer wedi iddi ddychwelyd o'i phen, a'i gafael ar y gwpan mor gadarn fel y brifai ei bysedd.

'Mae 'na un crympet ar ôl. Fi sy bia fo,' meddai, a chyn y brotest anochel llamodd am y gegin, ei roi'n y toster, a'i addurno â menyn.

I'r diawl â nhw i gyd.

Rhif 3

'**O**ES 'NA BOBOL?'
    'Wel oes, siŵr Dduw. Dewch i mewn!'

Ac fe aethon nhw i mewn i rif 3 yn haid, er nad aeth
Taid i'w cyfarfod. Arhosodd yn ei gadair, sigarét farw yn ei
law, yn craffu ar ei fab a'i ferch yng nghyfraith a'r wyrion
bychain.

'Iesu mawr, dach chi'n wlyb socian!' meddai'r hen ddyn
wrthynt.

'Ydan, mae hi'n dywydd mawr,' atebodd Owain, ei fab.
Trodd at y plant. 'Mabon, Lleu – gadewch eich esgidiau
yma ac ewch i ddweud helô wrth Taid.' Ufuddhaodd y
ddau, yn cicio'u hesgidiau i'r ochr a mynd i eistedd wrth
ei ymyl.

'Helô hogia,' meddai yntau wrthynt yn garedig â thinc
o ddireidi yn ei lais, 'pa ddrygioni ydach chi wedi bod
wrthi'n wneud wythnos yma?'

'Ddim byd, Taid,' atebodd Mabon, a'i wyneb mor
debyg i'w fam, 'ma hyd'nod Lleu 'di cadw allan o drwbwl
wsos yma, 'do Lleu?' meddai'n ofalgar wrth ei frawd
bach, a oedd yn hanner ei oed. Nodiodd Lleu yn seriws
â'i lygaid mawr brown ddim yn symud o olwg Taid. Ni

fyddai Lleu'n dweud rhyw lawer ar y cyfan, er ei fod yn chwech erbyn hyn. Roedd pawb yn ei holi a oedd o'n swil, ond doedd o ddim yn deall pam. Roedd Mabon bob amser yno i siarad ar ei ran, felly doedd yna fawr o bwynt iddo fo wneud.

'Wel dyna ddiflas ydach chi!' dywedodd eu taid yn bryfoclyd, 'Mae hogia bach i fod yn ddrwg weithiau!' Roedd Mabon bron â marw isio cywiro'i daid a dweud nad oedd o'n hogyn bach ddim mwy.

'Mi ydach chi'n gwybod yn iawn fod y ddau yma ddim, Meurig,' dywedodd Alice yn gyfeillgar wrtho, gan roi llaw dyner yr un ar ysgwyddau ei meibion. 'Peidiwch ag *encouragio* nhw, wir! Rŵan, dach isio panad cyn ein bod ni'n mynd?'

Edrychodd arni'n syn. 'Newydd gyrraedd ydach chi!'

'Ond 'dan ni'n mynd am dro, Taid,' meddai Mabon.

'Am dro? I le?'

'I Lyn yr Wybren, Dad,' torrodd Owain ar draws. 'Dyna oedden ni'n bwriadu ei wneud beth bynnag. Wn i ddim a awn ni hefo'r tywydd fel y mae, chwaith.'

'Twt lol. Fyddwch chi'n well yno na mewn rhyw dŷ'n stwna. Mi faswn i'n dod efo chi a deud y gwir.'

'Byddat debyg! Ond mae angen i'r goes 'na wella'n gynta. Mae isio i chdi beidio â'i gor-wneud hi, fedri di ddim mynd am y mynyddoedd ar y funud!'

'Wrth gwrs y medra i, fyddwn i'n medru mynd yno ben

fy hun a cherdded y llyn ddwywaith cyn eich bod chi allan o'r car,' dywedodd gan roi winc i'r wyrion, 'A nôl llefrith o'r siop 'run pryd.' Gwenon nhw'n ôl yn ddannedd i gyd. Doedden nhw ddim yn gwybod a oedd Taid yn gwneud ati ai peidio, ond fe allen nhw rywsut ei weld yn gwneud y cyfan. Yn eu llygaid diniwed nhw, doedd dim y tu hwnt i Taid.

'Dwi ddim yn amau! Dydi Lleu ddim wedi bod yno o'r blaen. A deud y gwir, dwi ddim yn cofio'r tro diwetha i fi fynd yno.'

'Mi geith yr hogia a chdi ac Alice fynd heddiw felly! Ar ôl i chdi wneud y baned 'na imi, ia? Dwi heb fwyta heddiw chwaith...' Deallodd Owain yn iawn, ac aeth yntau ac Alice i'r gegin gyda'i gilydd. Roedd Taid isio brechdan. Setlodd yn ôl yn ei gadair, yn edrych i fyw llygaid Mabon a Lleu bob yn ail.

'Does ots gynnoch chi am ychydig o law nac oes?'

'Nac oes siŵr,' meddai Mabon yn gelwyddog. Byddai'n well ganddo dreulio bore Sadwrn yn sgwrsio â'i ffrindiau wrth iddyn nhw saethu pobl ar-lein, ond roedd ganddo ormod o feddwl o farn Taid i ddweud fel arall, rhag iddo feddwl ei fod o'n sofft.

'Na, doeddwn i ddim yn meddwl. Cymry bach ydach chi, yn de? Waeth gynnoch chi mo'r glaw. Fyddwch chi wrth eich bodd yn mynd rownd Llyn yr Wybren.'

'Dwi 'di bod 'na,' meddai Mabon. 'Lleu sy heb. Dwi'n

meddwl bod Mam a Dad yn poeni am fynd â fo yna ers y tro 'na gerddodd o mewn i'r afon a Dad yn gorfod neidio mewn ar ei ôl.' Edrychodd Lleu o amgylch y tŷ, yn ei fyd ei hun, heb gymryd unrhyw sylw o'r sgwrs. 'Ma siŵr nad ydach chi ddim wedi bod 'na'n ddiweddar?'

'Fi?' gofynnodd â syndod ffug. 'Wel, na, ddim yn ddiweddar, ond does neb yn nabod Llyn yr Wybren yn well na fi. Ro'n i'n mynd â'ch tad chi yno pan oedd o'n iau. A phan o'n i'n hogyn bach, fel ydach chi'ch dau rŵan, roeddwn i'n treulio oriau yno efo 'nhad i, neu fy ffrindiau. Ydach chi'n cofio Nedw? Mr Evans oedd yn byw ar ben isa'r stryd 'ma efo'r hen gi bach? Roedd y ddau ohonon ni'n mynd yno gyda'n gilydd weithiau, flynyddoedd maith yn ôl. Ond mae'r dyddiau hynny wedi mynd, mae'n ddrwg gen i ddeud,' meddai'n hiraethus o gofio Nedw. Hyd yn oed mewn henaint, a cholled yn rhan ddisgwyliedig o'r drefn erbyn hyn, ni all unrhyw un baratoi at golli ffrind. Ffrindiau ydi'r rhai nad ydym ni'n ofni eu colli, am nad ydi hynny byth o fewn ein golwg, boed yn saith ynteu'n saith deg oed. A'r diffyg ofn hwnnw sy'n gwneud eu colli mor greulon.

'Yndw, dwi'n cofio Mr Evans, Taid. Ti'n cofio'r ci, Lleu?' Nodiodd Lleu. Roedd sôn amdano wedi ennyn ei ddiddordeb o'r diwedd. 'Wnaethon ni ei weld o wrth y siop ddim yn rhy hir yn ôl. Adawodd Lleu iddo fo lyfu ei hufen iâ ond nath y Ddynas roi ffrae i ni a dweud ddylian ni ddim wneud ffasiwn beth. Mi oedd hi'n flin *uffernol* efo'r ci 'fyd.' Roedd Mabon yn mwynhau gallu dweud *uffernol* wrth Taid, feiddiai o ddim wrth ei rieni.

'Oedd, mae'n siŵr. Un felly fu Gwenfair erioed. Roedd hi'n siarad â'i thad 'run fath ag y mae hi'n siarad â'r ci, ac â phawb arall hefyd. Mae 'na rhyw ddiawl ynddi ers pan oedd hi'n fach. Prin welodd hi Nedw yn ystod y blynyddoedd cyn iddo farw. Roedd ganddo fo wastad gi yn y tŷ yna, a hithau'n cwyno o hyd fod ganddo fwy o otsh am ei gŵn nag amdani hi, dyna asgwrn y gynnen, hithau'n genfigennus o gi! Wn i ddim pam ar y ddaear y cadwodd hi o ar ôl symud mewn. Euogrwydd, ella — mae hwnnw'n gallu caledu pobl mewn ffyrdd annisgwyl. Siŵr bod y c'radur bach yn hiraethu am gerdded y ffriddoedd hyd yn oed yn fwy na fi, os fedr cŵn hiraethu.'

'Dwi'n meddwl eu bod nhw'n medru. Maen nhw'n dweud bod cŵn yn dallt lot o betha ac yn gweld petha nad ydan ni'n medru gweld, tydyn?'

'Cŵn a phlant fatha'i gilydd, 'ngwas i, cofia di hynny. Pan o'n i'n blentyn, ro'n i'n gweld llawer mwy, a doeddwn i'n mwynhau dim yn fwy na mynd ben fy hun i grwydro Llyn yr Wybren, ac ella gwneud cychod brwyn fyddai'n hwylio arno drwy'r pnawn.'

'Ar eich pen eich hun? Oeddach chi'n cael? Dwi dal ddim yn cael mynd heibio'r giât ffrynt heb i Dad ddweud 'i fod o'n iawn.' Welodd Meurig mo'r rhwystredigaeth yn ei wyneb wrth iddo edrych ar Lleu. Roedd o wastad yn gorfod arwain.

'Wrth gwrs fy mod i'n cael! Roedd pethau'n wahanol iawn bryd hynny. Roedd hogiau bach fel chi'n cael eu hannog i fwynhau, a chael blas ar ryddid. Buan y byddwch chi'n sylweddoli mai dim ond yn eich oed chi mae i'w gael. Ond, o, byddan, byddan ni'n cerdded y mynyddoedd a'r goedwig a glan y llyn am oriau heb boen yn y byd, dim ond mynd yno a gweld beth a welwn ni. A gewch chi weld be welon ni, a be welodd eich tad chi hefyd wedyn.'

''Sa Lleu wrth ei fodd yn cl'wad, Taid.'

Tynnodd Meurig ei hun i flaen y gadair, a gafael ar fatsys y bwrdd ochr bach. 'Pob math. Mae pob math o bethau yn y llyn uchel 'na, i rywun all weld tu hwnt i lygada. Mi wyddwn i fod y tylwyth teg yn dawnsio rhwng y cerrig a'r mwsog ar y lan bella, er na welais i erioed mohonyn nhw. Ond mae gwybod yn gryfach peth na gweld. A dwi'n cofio sut soniodd fy nain annwyl stalwm, pan oedden ni'n mynd draw i'w thŷ hi, am sut roedd yna wrachod yn byw'n y goedwig ac y gallech chi eu clywed nhw'n sgrechian eu swyni, petaech chi yno ar yr adeg iawn. Neu'r adeg rong, efallai.' Roedd hyd yn oed Mabon yn anesmwytho braidd, er na fyddai erioed wedi cyfaddef hynny, ond taniodd Taid fatsien a meithrin llosg i'r sigarét, cyn anadlu'n ddwfn ohoni, a chreu cylchoedd o fwg. Byddai hyn bob amser yn diddanu

Lleu, a chwarddodd ar siâp doniol ei geg, a theimlai'r gwrachod yn bell iawn.

Clywodd Owain ef o'r gegin bob gair. Roedd gan ei dad gryn ddychymyg ond chofiodd o erioed weld y pethau hynny tu hwnt i weld llygada, a doedd o ddim yn eiddigeddus o allu ei dad i lenwi ystafell wag â ffantasïau. Gwyddai yr hoffai'r plant eu clywed, ond weithiau nid oedd yn siŵr a oedd ei dad yn gwybod p'un ai a oedden nhw yn wir ai peidio. Byddai'n poeni amdano'n aml. Wedi'r cyfan, roedd Meurig ymhell dros ei ddeugain yn cael ei unig fab, a theimlai Owain, er mawr cywilydd iddo, ei fod yn fwy o fab i daid nag i dad.

Meddyliodd am yr wythnos gynt, a'i dad yn dweud iddo weld rhywbeth drwy ffenestr Anwen tŷ pen. Anffurf, meddai o, wrth iddo gerdded heibio ar ôl bod am dro a hithau'n dywyll, rhywbeth a ddaliodd ei lygaid a'i fferru. Hynny barodd iddo ddisgyn a brifo'i goes yn y lle cyntaf. Nid ymhelaethodd fwy na hynny, ond chyfaddefodd o ddim iddo'i gor-wneud hi, nac ei bod yn noson anarferol o oer ac yntau erbyn hyn yn fwy bregus nag y bu ac iddo golli'i falans; roedd straeon wastad wedi bod yn haws iddo na gwirioneddau'r byd. Er, efallai mai dyna oedd yn digwydd i bobl oedd yn byw ar eu pen eu hunain. Dychmygu dw-lal a smocio gormod.

'Gwell dy fod ti'm yn smygu o flaen y plant, Dad,' cwynodd Owain o'r gegin.

'Caiff Cymro wneud fel y mynno'n ei gartra'i hun!' brathodd Meurig yn ôl yn ffug-fawreddog. Chafodd o ddim ymateb. Gwenodd Mabon wrtho'i hun, roedd o wastad wedi hoffi clywed ei daid yn dweud y drefn wrth Dad.

'Mae Dad yn mynd i ben yr ardd i gael smôc, Taid,' sibrydodd Mabon wrtho, 'Dydi o ddim yn meddwl ein bod ni'n gwbod, ond mi ydan ni.'

'Wrth gwrs eich bod chi!' dywedodd yntau'n ei ôl, ei wyneb yn goleuo, 'Dach chi'n ddoeth! 'Mond gwirionach ewch chi wrth fynd yn hŷn.' Eisteddodd yn ôl yn ei gadair yn fodlon. Roedd yn ei elfen yng nghwmni ei wyrion. 'A chofiwch, waeth beth ddywed unrhyw un, chi sydd piau hi oll, fyny fanno wrth y llyn.'

'Beth dach chi'n feddwl?'

'Cymry ydach chi. Chi sydd *bia* fanno. A pheidiwch byth â gadael i unrhyw un ddweud fel arall wrthoch chi. Dyna ddywedodd 'nhad i wrtha i.'

'Pryd ddywedodd o hynny?'

Roedd Taid wedi llwyddo i gael yr hawl i adrodd stori.

'Flynyddoedd yn ôl, pan o'n i'n hogyn bach. Roedden ni'n mynd yno'n aml. Byddai 'nhad yn hoffi mynd yno'n fawr. Roedd o'n fardd, wyddoch chi. Oedd, wir, bardd mawr, yn ysgrifennu o'i galon, i greu rhywbeth o'i wirfodd heb ofyn ceiniog am wneud; sef yr unig ffordd i ysgrifennu. Daw'r awen orau fel hynna – chafodd neb grant i greu Culhwch ac Olwen wedi'r cwbl. Roedd o'n dweud bod yna gerddi i'w cipio oddi ar y pryfaid bach sy'n hwylio'r llyn, a'i job o oedd eu dal nhw a'u rhoi ar bapur, i bawb arall gael clywed eu lleisiau. Roedd yna adeg yr o'n i'n meddwl y byddai'ch tad chi yn dilyn ei drywydd. Byddai o'n gneud cerddi pan oedd o'n iau ac yn mynd â nhw at ei daid i gael ei farn, fel disgybl bach! Nes iddo fynd i'r coleg yn Lerpwl, mi stopiodd o bryd hynny. Am wn i mae'n anodd i rywun o lethrau mynydd gael ei ysbrydoli gan balmentydd sy'n olau ddydd a nos, a gan golomennod yn lle gwenoliaid.

'Beth bynnag, fues i a 'nhad ar ochr draw'r llyn un diwrnod, lle roedd yna goed derw yn tyfu, ac un fawr fawr yn fwy na'r lleill yn eu canol, fel brenhines arnyn nhw. Pan fyddai hi'n storm, roedd ei changhennau'n ysgwyd fel adenydd draig. Hen dderwen gre oedd hi, a phwy a ŵyr beth a welodd hi yn ystod ei hoes. Ro'n i'n ei hoffi hi'n fawr am ryw reswm, ond wn i ddim a ydi hi'n dal yno. Roedd y Comisiwn newydd ddechrau rheoli fanno, ac yn deud na châi unrhyw un fynd yno.'

'Pam 'sa nhw'n deud hynny?'

'Hen Saeson oeddan nhw, Mabon,' meddai Taid yn isel, 'Ia, hen Saeson. Yn trio cau'r lle i ffwrdd a gneud fel y mynnon nhw efo'r goedwig. Plannu coed o ffwrdd yno a ballu, dim ond i'w torri fel teganau pan oedden nhw'n eu twf â'u hebrwng i ffwrdd mewn lori fawr fel arch, a dechrau tyfu mwy eto. Fel tasa ganddyn nhw hawl i neud! Ein coed ni oeddan nhw, ac er ein mwyn ni yr oedden nhw'n tyfu. Ta waeth, yn ddigon anarferol un dydd roedd yna rywun yno, un o'r swyddogion, dim gair o Gymraeg ganddo, a dyma fo'n gweiddi arna i a 'nhad i hel ein traed am ein bod ni ar "dir y Comisiwn". "Tir y Comisiwn" wir, fel tasa tir yn perthyn i sefydliadau! A gwaeddodd fy nhad yn ôl arno, yn eu hiaith nhw, "Paid ti â dod yma a deud wrth Gymro i le yn ei gynefin y gall fynd, does gennyt ti mo'r hawl. Ni bia hon, ac ni fydd pia hi ymhell wedi i chi oll ddiflannu. Dos di yn ôl i le ddest ti!" Mi redodd y swyddog i ffwrdd yn o handi pan ddaru 'nhad ddechrau mynd tuag ato, am ei fod o'n ddyn mawr cryf efo tymer ofnadwy pan oedd o'n flin, ac mi fyddai o wedi rhoi swadan iawn iddo tasa fo wedi gallu. Gwell tasa fo wedi gneud, os dach chi'n gofyn i mi.'

'Rŵan, rŵan, Dad,' dywedodd Owain wrth ddod yn ôl i'r ystafell fyw, 'stopia hynny i gyd. Beth bynnag, mae Cymru'n rheoli ei choed ei hun erbyn hyn, gafon ni'r pŵer yn ôl, yn do? Ddylia chdi wbod hynny efo'r holl niws ti'n ei wylio.'

'Yn ôl?' atebodd Taid yn ddirmygus, 'Chymeron nhw erioed mo'nyn nhw'n y lle cynta. Ddim am eiliad pry. All neb gymryd rhywbeth sydd heb ei roi.' Daeth Alice i mewn â phaned laethog mewn un llaw a chlamp o frechdan yn y llall.

'Gobeithio eich bod chi ddim yn llenwi pennau'r hogiau 'ma efo *politics*, Meurig,' meddai hi wrtho, 'Cofiwch na un o'r "hen Saeson" 'na ydw i hefyd! Fydda i'n *Scouser 'till I die*! 'Nawn ni ddim dod yma i wneud brechdan i chi os nad ydach chi'n ofalus!'

Cilwenodd Taid. 'Wel dwi'n sicr isio i chdi ddal i ddod yma i neud brechdanau imi, 'de,' meddai'n smalio bod yn ddi-hid.

'Hei, fi ydi'r un sy wastad yn neud nhw i chdi, Dad, diolch yn fawr!' meddai Owain. Edrychodd Meurig yn wirion at y ddau ohonynt.

'Ac rwyt ti'n un ohonon ni ers cyn cof beth bynnag, yn dwyt?' meddai'n troi'r sgwrs yn ôl yn ddireidus at Alice, hithau'n codi ael arno'n ffug-fygythiol.

'Un ohonon ni,' meddyliodd hi. Roedd hi'n gwybod mai siarad am iaith oedd Meurig, ond nid oedd yn deall pwysau'r geiriau hynny iddi. O'r geiriau cas yn yr ysgol gynradd i ambell feddwyn mewn tafarn neu glwb yn poeri atgasedd, roedd hi'n gwybod bod yna ddigon o bobl na fyddai'n ei derbyn hi fel 'un ohonon ni', waeth yn lle y'i ganed hi na pha iaith y siaradai hi. Cofiodd y tro cyntaf iddi ddod i'r pentref flynyddoedd yn ôl. Roedd yn wyliau haf yn y brifysgol, ac Owain wedi mynnu iddi ddod draw i gwrdd â'i deulu. Roedd ganddi lond ei bol o ofn, a barodd yr holl daith ar y trên, a dim ond llond llaw o Gymraeg yn ei phen.

Cerddodd hithau law yn llaw ag Owain at y tŷ, a gwelodd Meurig yn sefyll tu allan yn pwyso ar y wal, yn

arw ei olwg. Synnodd cymaint yn hŷn yr oedd na'i rhieni
hi. Cyflwynodd Owain hi i'w dad, a bron yn ddiarwybod
iddi dywedodd 'Sud dach chi?' wrtho. Ofnodd y byddai'r
dyn hwn yn rhyfeddu, os nad digio, at y ferch ddu hon o
Lerpwl yn cnoi ei iaith, ac efallai meiddio bod yno o gwbl.
Ond na. 'Da iawn diolch! A tithau?' annisgwyl o or-siriol
a gafodd hi. 'Panad?'

Ac yn wahanol i ambell un yn y pentref dros y
blynyddoedd, ni chyfeiriodd Meurig unwaith at liw ei
chroen. Roedd adegau y cafodd ei themtio i ofyn wrtho beth
oedd yn ei feddwl yn y cyfarfod cyntaf hwnnw. Go brin na
sylwodd ar ei thras, ond a oedd yn meddwl am y peth, fel y
byddai hi'n ei wneud o dro i dro, pan fyddai'n clywed pobl
yn anochel yn ei godi amdani hi neu ei meibion? Digiodd
wrthi ei hun am feddwl am y peth yma rŵan. Ni ddylai fod
yn rhaid iddi wneud.

'Owain,' meddai wrth ei gŵr, 'os ydan ni am fynd,
well i ni fynd rŵan, rhag ofn iddi waethygu.' Cymrodd
gip drwy'r ffenestr. Doedd fawr o arwydd y byddai'n
gwella.

'Fedrwn ni ddreifio i fyny a gweld sut mae pethau, mae
'na le parcio'n agos. Fyddwn ni ddim gwaeth o neud. Oes
rhywbeth wyt ti isio cyn inni fynd, Dad?' gofynnodd.

'Wel…' meddai Taid yn araf, ond ni allai feddwl am
rywbeth a gadwai ei deulu yno fawr hirach mewn difri.
'Oes yna ddigon o ddŵr yn y tegell?'

'Newydd wneud panad i chdi ydan ni, mae o'n dal yn llawn.'

'Yndi, mwn.'

'Reit, 'ta. Hogia, ewch i nôl eich sgidiau,' meddai Owain, ac ufuddhaodd y ddau ar unwaith.

'Ond…' dechreuodd Taid, 'ydach chi wir isio mynd yn y glaw mawr 'ma?'

'Dad,' meddai Owain, yn fab ei dad i gyd, 'Cymry 'dan ni. Waeth gynnon ni ychydig o law, nac oes?'

Suddodd calon Taid fymryn. Ond fentrai o ddim dadlau â'i eiriau ei hun. Damia Llyn yr Wybren, meddyliodd. Fi arferai fynd yno i ddianc, a rŵan mae'r rhain yn mynd yno i ddianc rhagof i. Mae ganddyn nhw bethau gwell i'w gwneud.

Alice synhwyrodd ei siom. 'Meurig,' meddai'n dawel, ''dan ni'n cael têc-awê heno, *Chinese*… beth am inni ddod draw efo fo?'

'O dwn i'm sdi, Alice,' atebodd yn bwdlyd a llinellau ei dalcen yn crychu, 'mae gen i datws i'w ffrio yn y ffrij. Wneith hynny efo wy.' Edrychodd Alice arno'n ddiamynedd. Roedd hi'n hen gyfarwydd â'r act.

'Dewch 'laen rŵan, rydach chi'n licio *chow mein*. Y nwdls 'na efo *chicken* ynddyn nhw, tydach?' Swniai fel cyhuddiad yn hytrach na chwestiwn.

'Wel ydw, maen nhw'n iawn i mi, 'de.'

'Wel dyna ni ta! Ddown ni â phopeth draw wedyn, a

gewch chi'ch tatws a'ch wy i edrych ymlaen atyn nhw ryw bryd arall. Gosodwch y bwrdd erbyn tua saith a fydd ddim rhaid i chi wneud te i chi'ch hun wedyn, na fydd?'

'Na fydd. Wna i fara menyn yn barod.'

Roedd Taid yn fodlon dioddef nwdls lletchwith, yn rasio o amgylch cwrs y plât fel milgwn wrth ddianc rhag ei fforc, os oedd yn golygu cael cwmni ei deulu.

'Hogia, dywedwch ta-ta wrth Taid,' cyfarwyddodd Owain. Aeth Mabon ato'n syth i'w gofleidio, gyda Lleu yn impio'i frawd. Daeth chwa o fywyd yn ôl iddo.

'Ta-ta, Taid!' meddai Mabon, a chwifiodd Lleu ei fraich ato fel petai ar lwyfan yr ysgol.

'Ta-ta, hogia. Mae'ch mam chi'n dod â rhyw fwyd yma heno, felly mi gewch chi ddeud popeth wrtha i am be weloch chi'n nes 'mlaen, iawn? Fydda i'n disgwyl stori!' Cytunon nhw i hyn, cyn gadael gyda'u mam, a ffarweliodd Owain â'i dad.

Eisteddodd Meurig yn dawel, a daeth blinder drosto. Gallai ddarllen un o'i lyfrau. Roedd wedi darllen y rhan fwyaf ohonynt ddwsinau o weithiau – y clasuron diamser, o freninesau dyfroedd duon i firi môr-ladron a theuluoedd garw'r moelydd geirwon; cloriau papur rhacs llyfrau tenau'r awduron angof na fyddent yn para i'w wyrion eu gweld, a fyddai'n mynd dudalen wrth dudalen yn deilchion heb fodd i'w hatgyfodi fyth; geiriau a oedd yn haeddu anfeidroldeb ond taw diflannu'n ddilafar fyddai eu ffawd. Cafodd serch hynny fwynhad o'u cael yno'n rhes, uwch ei gadair glyd ar ddiwrnod fel hwn, paned a brechan wrth law, gan sbio fyny o dro i dro a chwerthin ar anallu'r glaw i'w wlychu.

Cododd yn araf, a chymryd oddi tan un llyfr hen ddarn o bapur, y mwyaf gwerthfawr o'i gasgliad. Aeth yn ôl i'w gadair a'i ddadblygu'n ofalus, ac adrodd y geiriau arno iddo'i hun.

Owain Dafydd Huws,
Lerpwl,
15fed Ebrill 2002
Annwyl Dad a Mam,
Llythyr bach i ddweud fod popeth yn iawn yma'n y brifysgol ac fy mod i'n mwynhau, er fy mod i'n colli pawb wrth gwrs. Bydda i adref ymhen rhyw ddeufis, mi fydd hi'n braf bod yn ôl dros yr haf. Fydd hi'n iawn i Alice ddod acw am wythnos neu ddwy? Byddai hi'n hoffi'ch cyfarfod chi'n fawr iawn, a dwi'n siŵr y bydd hi'n gwirioni ar yr hen le. Mi gewch chi sioc faint o Gymraeg mae hi wedi'i ddysgu gen i!

Gobeithio bod Taid yn teimlo'n well ac na fydd o'n yr ysbyty am lawer hirach. Cofiwch fi ato, a dangoswch y gerdd isod iddo, dydi hi ddim yn dda iawn ond efallai y bydd rhoi ei farn arni'n codi ei hwyliau!

Mi ffonia i chi cyn gwyliau'r haf i gadarnhau pethau. Cariad mawr, Owain.

Adref

Mae adar bach y mynydd
Yn canu yn eu coed
A minnau'n gwrando arnynt
Mor ofer ag erioed,
Yr alaw fer lefarant
Yw yr un anghofiais i,
A churiad pell fy nghalon
Sy'n ddifywyd hebddi hi.
Ond canu wnânt gan godi toll
O hiraeth hallt ar hogyn coll.

Gwenodd Meurig. Owain 'ngwas i, meddyliodd, dwyt ti ddim ar goll, fe ffeindiaist ti dy ffordd yn ôl yn y diwedd, yn gyfoethocach nag erioed.

Ond ni fynnodd ddarllen mwy. Teimlodd yn ddiog. Teimlai'n ddiog yn bur aml y dyddiau hyn, a chaeodd ei lygaid toc a gadael i'w feddwl fynd ar grwydr.

Llithrodd i'r lle ysgafn hwnnw lle mae effro'n croesawu cwsg. Ac fe'i gwelodd. Llyn yr Wybren, ei ddŵr tawel yn esmwytho'i lannau ac yn llenwi ei ffroenau â meinder mwyn y bore glas. Roedd gwanwyn yn yr awyr, a'r fam ffridd yn gwthio'r rhedyn o'i chroth, y rhedyn hynny nad oes iddynt ond un iaith yn perthyn ac un werin yn eu cadw wrth galon. Y twmpathau o eithin yn eu cwrcwd yn nythu adar bach y mynydd, a chri hynafol y brain yn atsain o un pen y cwm i'r llall. Y tawelwch yn llwydni'r glaw mud; glaw mân a'i addfwynder sidanaidd yn chwarae ar yr wyneb fel un o swyni'r tylwyth teg. Un o'r dyddiau hynny, a oedd mor ddisymud fel pan y byddi'n gweld rhywun arall ar ochr draw'r llyn o bell drwy'r dafnau diddiwedd, rwyt ti'n deall o'r bron sut y credai hen geidwaid gynt y mynyddoedd mewn gwrachod.

Saib ar garreg wrth y dŵr ger y dderwen, ei changhennau'n edrych drosto'n fusneslyd. Un o'i dail melyn gwrthodedig yn crafu'r graig, mor druenus â chusan olaf cymar cyn ei gladdu. Sgrech y gwynt wrth iddo geisio'n ofer i symud y mynydd. Ac awel fwyn y de'n datod gafael barrug bore dros y tir dan haul gwydraidd môr y nen. Y golau bregus yn glasu'r uwchfyd, a'r dyfnder maith yn ensynio nef.

Gwynt sy'n mynd a gwynt sy'n dod, yn corlannu'r cymylau ar ei daith fythol drwy'r byd, heb berthyn i'r unman.

Ond i'r fan hon perthynai Meurig. Ei lyn ef. Ei dir ef. Ei etifeddiaeth ef. Ni allai unrhyw dywydd ei hagru, na'r un estron ei hawlio tra byddai'r cof yn fyw.

Deffrodd, wedi synnu iddo ddisgyn i drwmgwsg ac edrychodd ar y cloc. Cafodd syndod o weld bod yr oriau wedi sleifio heibio heb ddweud wrtho, a byddai'n rhaid paratoi at heno, yn ôl cyfarwyddiadau'r ferch yng nghyfraith. Aeth i'r gegin i'r blwch bara cyn gweld nad oedd ond pen torth ar ôl. Wnâi hynny mo'r tro – doedd Lleu a Mabon ddim yn licio crystyn iawn, dim ond bara meddal diflas, er roedd yn benderfynol o newid eu meddyliau am hyn. Peth da oedd crystyn, roedd yn gorfodi rhywun i ddefnyddio'i geg, fel siarad Cymraeg heb yngan gair. Doedd dim amdani ond piciad i'r siop cyn iddi gau.

Safodd a gwelodd gip o'r glaw drwy'r ffenestr, ac ataliodd ennyd. Roedd wir yn filain. Digalonnodd. Pendronodd wrth syllu, a rhwbiodd ei goes. Roedd hi'n drom ac yn boenus.

Caeodd ei ddyrnau a chulhau ei lygaid. Paid â malu, Meurig. Waeth gynno chdi mo'r glaw. Ti'n Gymro.

Ac aeth i nôl ei gôt.

Rhif 4

A GORODD TOM y drws. Aeth Eira i mewn, ac fe'i dilynodd. Ffwndrodd gyda'i esgidiau, hen bethau da-i-ddim am gadw'r dŵr allan, yn gwlychu'r llawr yn y broses.

'Caea'r drws, Tom,' meddai Eira wrtho'n bendant, ''dan ni ddim isio dod â'r tywydd mewn efo ni. Am ddiwrnod.' Ufuddhaodd yntau, gan frwydro fymryn yn erbyn y gwynt wrth ei gau, wrth iddi hi luchio goriadau'r car a'i ffôn yn ddi-hid ar fwrdd isel yr ystafell fyw. Bu ffôn Eira'n crynu ers sbel ond doedd ganddi ddim awydd edrych pa neges oedd arno ar y funud. 'Am ddiwrnod,' ailadroddodd. 'Siŵr y cadwodd y glaw ambell un draw.'

'Do debyg,' atebodd yntau'n unsain.

'Pobol yn anwadal, tydyn? Ddim yn fodlon ildio awr ar fora Sadwrn, yn enwedig yn y fath dywydd,' meddai Eira'n frysiog, cyn gollwng ei chorff ar y soffa. 'Be ydi hwnna wedi dod drwy'r drws? Wyt ti am newid?'

Gafaelodd Tom yn y darn o gerdyn oedd yn gorwedd ar lawr, y postmon wedi ysgrifennu iddo adael parsel yn rhif 1. 'Wedyn,' atebodd yr ail gwestiwn, 'newidia i'n nes 'mlaen.' Llaciodd ei dei o amgylch ei wddw ac agor botwm top ei grys, gan fwynhau'r rhyddhad. Roedd yn gas ganddo wisgo siwt, ond doedd dim awydd ganddo newid y foment hon chwaith. Cafodd gysur o'i hanghyfforddusrwydd.

'Mi ddylai mwy fod wedi dod, wsti.'

'Wn i. O ystyried faint oedd yn ei nabod.'

'Ond o leia est ti, Tom.'

Nid oedd yn hoffi'r teimlad gwag a roddodd y geiriau hynny iddo. O leiaf ei fod o yno. Hen ddyletswydd annifyr, cynhebrynga. Pawb yn cael eu gorfodi i fynd, a neb eisiau bod yno mewn difrif. Y rhesi prin o wynebau hirion yn gwichian emynau. Drafft o ffenestr faluriedig uchel a cholled yn drwm a'r twll o gapel fel petai o dan filltir o fôr. Yr ymadawedig yn llywio'n ei arch am y lan fawr wrth i weddill cymdeithas ddal ati i hel cregyn mân ei waelod fel crancod. Haws gadael y meirw rhyngddon nhw a'u pethau. Fyddai pethau ddim gwaeth tasan nhw ill dau wedi cadw draw hefyd, meddyliodd, gan deimlo pang o euogrwydd.

Sylwodd fod y tŷ yn oer. Roedden nhw wedi anghofio rhoi'r gwres ymlaen cyn mynd. Tueddu i gofio'r pethau bach felly mae pobl pan fydd pethau mawr yn tarfu ar eu byd, ond roedd ambell lymaid neithiwr wedi eu gwneud nhw'n ddwl bore 'ma. Piciodd i fyny i danio'r boeler, ffwl blast, cyn llusgo'n ôl i lawr grisiau.

'Chdithau hefyd, Eira. Roedd o'n hoff iawn ohona chdi hefyd, 'sti,' meddai Tom yn ailgydio'n drwsgl yn yr hyn ddywedodd ei wraig funud yn ôl. Roedd hynny'n wir. Tom oedd ffrind mawr Gareth. Roedd wedi'i nabod ers iddynt gwrdd am y tro cyntaf yn yr ysgol fach, bron ddeugain mlynedd yn union yn ôl. Ond cafodd y tri ohonynt hwyl ddiddiwedd dros y blynyddoedd; oriau di-ri o chwerthin yn yr union ystafell hon, yn cyd-feirniadu'r bobl wirion yn ceisio canu ar y teledu neu'n trafod hwn a'r llall o waelod y dyffryn â'u bywydau gwallgof. Y côr o boteli gwin fel pinnau bowlio ar fyrddau gwaith y gegin drannoeth ymweliad ganddo. 'Ond dyna ni. Fydda i ddim yn gorfod stryffaglu efo'r bin gwyrdd 'na fora Sul ddim mwy,' dywedodd â'r cellwair chwerwfelys hwnnw sydd ond yn dod yn wyneb colled.

'Na. Ond mi fydd y staens yma o hyd,' meddai hi'n ôl yn yr un modd, yn pwyntio â'i llygaid at y cochni ar y mat gwlân dafad o flaen y lle tân. Pam wylltiodd hi am y fath beth bach ar y pryd? Oedd, roedd Tom a Gareth ill dau'n rhacs y noson honno, yn trafod stori ddiflas amdanyn nhw a'r hogiau'n chwarae rhyw gêm bêl-droed neu'i gilydd yn ddiddiwedd, un o'r straeon ailadroddus hynny rhwng hen gyfeillion os bu un erioed, a hithau'n gall y noson honno ac wedi'i chlywed hi ganwaith o'r blaen ac yn cydio'n ddiflas yn ei jinsen wan. Gofynnodd Tom wrth Gareth a gymerai o fwy o win, ac atebodd yntau â'i arferol, 'Ia, gwna hi'n un fawr'. Tywalltodd y gwin i wydr Gareth. Camafaelodd hwnnw ynddo a gollwng y cyfan dros y mat, ble cafodd ei amsugno'n farus. Eira lanhaodd hynny fedrai hi ohono, cyn pwdu a mynd i'r gwely, ac mi laddodd hynny'r noson. Edrychodd y staen arni'n gyhuddgar am fod mor bitw, er na allai hi ond gwenu'n ôl arno. Rhyfedd sut y gall cofio mor bitw oedd rhywun am rywbeth ddiddanu. Crynodd ei ffôn unwaith eto – byddai'n hawdd wedi gallu digio ato petai'r staen heb bwyllo arni i beidio.

Aeth Tom at fwrdd diodydd y gornel, ac estyn am wisgi hanner gwag a dau wydraid. Clinciodd y gwydrau at ei gilydd i ofyn i Eira a hoffai un, fel petai hi'n adnabod cyfarwyddyd.

'Dwi'm yn meddwl, Tom. Braidd yn fuan ti'm yn meddwl?' meddai hi'n ei hôl yn awgrymog. Edrychodd yntau ar y botel, yn erfyn i'r hylif tanllyd raeadru i'r gwydr trwm, cyn tynnu'n ôl. Roedd Eira'n iawn. Prin y byddai Gareth wedi cymeradwyo hynny.

'Ia, syniad gwael. Roia i'r tegell 'mlaen,' hanner gofynnodd.

'*Champion.*' Estynnodd Eira ei choesau a suddo i'r soffa. Roedd yn braf ar ôl bore o sefyll gerbron bedd yn brwydro glaw a chladdu atgofion da. Gadawodd i'r soffa afael ynddi fel arth gyfeillgar a chau ei llygaid, nes i Tom ddychwelyd o'r gegin. 'Diolch,' meddai cyn cymryd llwnc rhy boeth o'r baned a difaru. 'Roedd o wastad yn neud imi chwerthin. A gneud i bawb arall chwerthin hefyd,' meddai gan geisio bod yn fwy hwyliog, hynny a allai o leiaf.

'Oedd,' atebodd yntau'n ansicr. Chwarddai Gareth lot.

Roedd yn dod â golau i ba le bynnag y byddai'n mynd, gyda'i gellwair a'i gyfeillgarwch yn tanio goleuadau bychain yn llygaid pobl eraill. Mae'r rhai sydd wedi gweld gormod ar dywyllwch yn gwneud hynny; yn ceisio cynnau goleuadau bychain ym mha le bynnag y gallan nhw. Ni fynnodd Tom edrych yn lobsgóws pen Gareth, felly ni holodd ormod, dim ond cynnig llaw gyfeillgar am ysgwydd ei gyfaill ambell dro'n yr eiliadau distaw prin, yn smalio cydymdeimlo heb orfod cwestiynu. Perygl ei holi fyddai cael ateb na ellid ei anghofio, ac ofnai hynny'n fwy na dim. Yng ngeiriau ei feddwdod dyfnaf yr oedd awgrym o'r tywyllwch o dro i'w gilydd, pan wgai ar ymylon bwrdd y dafarn yn gwneud ati mai meddwl yn ddwys oedd o. Prin iawn fod pobl yn meddwl yn ddwys yn eu cwrw, pwynt meddwi yw osgoi hynny. Dyna pam fod gwirioneddau mawr mewn diod yn swnio mor dwp yn sobrwch y bore wedyn.

'Wnest ti ddarllen yr *obituary*? 'Chydig eiriau oedd o. Eitha neis.'

'Ches i'm cyfle – methu ffeindio'n sbectol.'

'Dwyt ti byth yn medru pan nad wyt ti isio gweld rhywbeth.' Edrychodd Eira arno'n gyhuddgar, ond roedd hi'n iawn. Ni fu erioed yn un am wynebu pethau. Meddalodd hi fymryn. 'Ddywedon nhw faint y basa pawb yn ei golli.'

'Ei golli, byddan, Eira, ond ddim mwy na chath strae

sy'n galw draw bob hyn a hyn. Mwynhau rhoi mwythau iddi, ei bwydo hi fymryn; ac yna anghofio amdani'n llwyr am weddill yr amser am fod hynny'n ddigon,' meddai'n flin heb feddwl, cyn ailafael ynddo'i hun. Syllodd Eira arno. Gallai weld crychau ei dalcen yn cyfleu ei boen, a'i wefus uchaf yn sgrwnsio ei fwstásh, fel petai'n ceisio cadw coblyn bach i mewn yn ei ben. Arhosodd hithau'n ddistaw, yn ymbil arno i ymhelaethu. Ildiodd yntau a siarad yn araf, araf. 'Mi ddylwn i fod wedi'i holi. Y peth lleia y gallwn i fod wedi'i neud, os yr anodda hefyd. Ond y peth ddyliwn i fod wedi'i neud. Dwi'n gwbod bod gan lawer o bobol otsh amdano, o ryw fath. Ond mae o mor, mor ddi-werth rŵan, tydi? Mae'n gwbl ddi-werth i fod ag otsh am rywun os nad wyt ti'n deud hynny wrthyn nhw. A dwi ddim yn meddwl ei fod o'n gwbod, ddim go iawn, achos nath neb ddweud hynny wrtho erioed, heblaw pan fyddai o'n dweud "Gwna hi'n un fawr" i'w difyrru nhw. A dydi hynny ddim yn ddigon da.'

Pwyllodd Eira, a dewisodd ei geiriau mor ofalus ag y gallai. 'Dyna beryg hunan-dwyll, Tom, mae'n caethiwo pobl. Mae ychydig o hunan-dwyll ym mhawb, wsti, ac weithiau mae'n beth da achos mae'n ein galluogi ni i ddal ati. Ydi, mae dy dwyllo dy hun yn iawn – ar yr amod dy fod di'n llwyddo. Y peryg mawr efo hunan-dwyll ydi dy fod di'n twyllo pawb arall heblaw amdanat ti dy hun. Mae o fel creu caer a gwarchae arni ar yr un pryd.'

'Ydi, mwn.'

Doedd o ddim yn sicr p'un ai at Gareth ynteu ato fo y cyfeiriai Eira. Ai ati ei hun? Roedd hi'n un o'r bobl brin hynny allai gyhuddo rhywun mewn ffordd mor gynnil nad oedd modd taro'n ôl. Tawelodd ei feddwl yn fwriadol. Doedd ganddo ddim amynedd dyfalu. 'Gawson ni hwyl, yn do?' ymbiliodd ati fel plentyn eisiau bod ym mreichiau'i fam.

'Do, Tom. Llawer iawn o hwyl,' meddai. 'Mi oedd o'n mwynhau dod yma aton ni, wsti, hyd yn oed pan oedd y plant yn fach – dwyt ti'm yn cofio? Ni'n hel nhw i'w gwlâu ac eistedd yn y stafell fyw tan yr oriau mân.' Ymsuddodd y ddau ohonynt i atgofion y ddefod reolaidd honno.

'Ond...' dechreuodd Eira cyn tawelu. Edrychodd Tom arni'n syn.

'Ond beth?'

Sythodd hi. 'Jyst rhywbeth dwi'n digwydd ei gofio, un noson. Roeddan ni'n cael parti yn yr ardd ryw ddydd Sadwrn yn yr haf, flynyddoedd yn ôl. Pawb draw, yn doedd? Gareth, Anwen... llwyth o bobl. Mi oedd hi'n sobor o braf, a neb yn sobor; dim awel, dim ond gwres a miwsig blêr, y plant efo Mam a Dad yn Nhan-y-rhos am y penwythnos. Wnaethon ni farbyciw ac mi losgaist di'r byrgyrs i gyd a dyma Gareth a chditha'n cynllwynio i foddi pob un efo sôs coch i guddio hynny, cyn eu rhoi nhw i bawb. Ha! Wynebau pobl wrth frathu mewn iddyn nhw, bron â chrio eu bod nhw'n gorfod bwyta'r ffasiwn beth!' chwarddodd yn uchel.

Chwarddodd Tom o gofio hefyd. 'Cofio hwnnw'n iawn – Rhisiart drws nesa'n methu dallt pam fod ei ardd o'n llawn darnau cig diwrnod wedyn!' Chwarddodd y ddau eto. Yr hen Rhisiart druan. Drwy'r ffenestr, drannoeth, clywon nhw fo'n damcaniaethu am le y daeth y bwyd ohono wrth ei wraig a'i fam, yn ei ffordd araf arferol, a'r ddwy'n ei ddwrdio am fod mor ddwl. O'u gwely ym mreichiau ei gilydd, roedden nhw'n teimlo fel plant bach drwg yn clywed eu henwau'n dod o'u gwefusau'n flin.

Bwriodd Eira yn ei blaen, yn llai siriol. 'Y noson yna, dim ond Gareth oedd ar ôl erbyn y diwedd ac roedden ni'n y stafell fyw. Dwi'n meddwl dy fod di'n ffwndro yn y gegin yn chwilio am fwy o gwrw, er ein bod ni wedi yfed y cyfan,' meddai gan godi ael yn ddireidus, a chael gwên yn ôl gan ei gŵr, cyn dal ati. 'Wel, mi ddistawodd o fwyfwy wrth i'r noson fynd heibio, fatha bod rhywbeth yn gwasgu amdano. A dyma fo'n deud wrtha i, "Dach chi'ch dau yn bwysig iawn i fi. Mae'r ddau ohonoch chi'n sêr."' Gwenodd Tom a nodio.

'Peth neis i'w ddeud.'

'Roeddwn i'n meddwl hynny hefyd,' meddai'n ofalus, 'ond nid dyna'r oll ddywedodd o. Be ddywedodd o oedd, "Mae'r ddau ohonoch chi'n sêr – dwy seren ganol dydd." Doeddwn i ddim yn gwbod beth i feddwl ohono heblaw fod y cwrw wedi cydio. Cyn i fi gael cyfle i ymateb mi ddest ti'n ôl efo potel o rywbeth roeddet ti wedi llwyddo i'w ffeindio, a thywallt diod yr un i ni, ac un fawr i Gareth, wrth gwrs. Wnes i ddim cofio tan rŵan a deud y gwir.'

Eisteddodd Tom yn ôl ar y soffa. 'Beth oedd o'n ei olygu?' synfyfyriodd.

'Wn i ddim,' atebodd. Syllodd y ddau yn wag ar y tân nwy oer, yn methu â dehongli'r geiriau. Cafodd y ddau gryn fraw pan ganodd ffôn y tŷ. 'Ateba i o,' meddai Eira. Byddai bob amser yn dweud hynny er y gwyddai'r ddau ohonynt yn iawn mai hi a wnâi bob tro. 'Helô?' meddai'n lled-gyhuddgar.

Cofiodd Tom am y cerdyn bach yn gorchymyn iddo fynd i nôl parsel. Rhoddodd ei esgidiau a'i gôt law amdano cyn ei bigo i fyny a'i chwifio at ei wraig. 'Parsel wedi cyrraedd. Mae o'n tŷ Gwenfair — fentra i draw'n gyflym,' dywedodd wrth Eira tra ei bod hi'n dal ar y ffôn.

'Iawn, ocê,' meddai hi'n ei led anwybyddu, 'o gyda llaw, ma dy ferch fach yn deud helô!'

'Argol, be ma hi'n neud o gwmpas y lle ar ddydd Sadwrn? Ddim allan neithiwr? Smalio ei bod hi'n gall ac yn stydio mae hi?' meddai'n fwriadol uchel.

'"Cau hi, Dad!"' Gwenodd Eira arno wrth adrodd geiriau eu merch yn ôl, ac ystumiodd yntau wrth ei wraig y byddai'n ôl toc. 'Wn i ddim, cariad, rhywbeth wedi cyrraedd yn y post ac mae o'n mynnu mynd i'w nôl yn y fath dywydd. Ti'n gwbod fel mae o… Ydi, wedi ypsetio'n lân am Gareth, ond dydi o ddim yn deud gormod am y peth… Na, na, doedd 'na neb i yrru cerdyn ato, felly paid â phoeni am hynny, a ddaeth ei frawd o ddim yn y diwedd beth bynnag… O, ti ffwrdd wyt ti? Efo Aled…? Na, do'n i'm yn awgrymu dim! Falch bod chdi wedi gneud cymaint o ffrindiau lawr fanno, mae ffrindiau'n bwysig, sdi… Ro'n i a dy dad yn meddwl dod lawr yn fuan… Ocê, 'ta, cyw, cymer ofal, a mwynha, a phaid â chamfihafio! A phaid â cholli dy ffôn eto! … Dwi'n *gwybod* na dyna'r unig reswm ti'n ffonio'r tŷ a ddim y mobeil! … Ffonia fi pan gei di un newydd iawn? Gei di siarad efo dy dad bryd hynny hefyd. Ocê… Caru ti hefyd. Ta-ta, 'nghariad i.'

Sgwrs ddisylwedd arall â'r ferch, hithau'n ffonio o ddyletswydd yn fwy na dim. Ond o leiaf fe ffoniodd hi. Gwyddai Eira ei bod hi'n rhy brysur yn cael hwyl lawr yn y brifysgol i fod eisiau siarad â'i rhieni'n rhy aml, nac yn rhy hir. Arferai hithau fod yr un fath. Creu atgofion i'w cadw oedd ei bywyd hi ar hyn o bryd, a gwneud ffrindiau y credai y byddent yn para oes. Deuai i ddeall ryw ben fod ffrindiau'n aml fel tywod ar draeth byw, yn mynd ac yn dod gyda'r llanw a'r trai, ac ychydig mewn difrif oedd yn aros er eu gwaethaf. Weithiau teimlai fel petai hi prin yn cofio rhai o'r bobl yr oedd yn eu hadnabod pan oedd hi yn oed ei merch, mor bell yr oedd y dyddiau hynny erbyn hyn. Ond ofer dal gafael ar bob gorffennol; menter ffŵl yw hynny.

Cofiodd am y neges ar ei ffôn ac aeth i'w ymestyn, ond wrth iddi gael afael arno'n ei llaw daeth Tom yn ôl â phecyn bach yn ei law, unwaith eto'n wlyb socian ac yn rhegi dan ei wynt. 'Efo nhw'n rhif 2 oedd o. Ddaeth Sean at y drws yn fy ngweld i'n mynd heibio fel ffŵl, yn cnocio rhif 1. Doedd neb yn fanno beth bynnag, lle'n ddu bitsh.'

Edrychodd Eira ar y pecyn bach, yn troi ei thrwyn braidd wrth feddwl amdano'n yr hofel gyda Sean a Mari. Chyffyrddai hi ddim ynddo, meddyliodd, cyn troi ei dicter at rif 1. 'Dydi Gwenfair byth yno, wastad yn mynd i fan-yma-a-llall-ac-arall. Roedd ei thad hi'n fwy dibynadwy ar y diawl, ac yn fwy cyfeillgar o lawer. Gallai honno ferwi tegell drwy wgu arno.'

'Ro'n i'n falch peidio gorfod ei gweld hi a deud y gwir,' dywedodd Tom yn onest, yn cytuno â'i wraig. 'Mond hen gi Mr Evans oedd yno, yn syllu arna i drwy'r ffenestr.'

'O druan arna fo,' meddai Eira'n llawn tosturi, 'yno ben ei hun eto. Mi ddylai hi ei roi o i rywun arall yn lle ei gadw fo'n fanno. Mae 'na ddigon o bobl fyddai'n cael lles o'r cwmni. Dwi'n cofio hi'n dweud y bysa hi'n cael gwared arno fo'n syth bin tasa rhywun yn ei gymryd o. Ti'n cofio fi'n dweud wrtha chdi y dylian ni wneud, pan oedd Eifion newydd adael a Marged yn y coleg...'

'A ddywedais i na, Eira,' meddai ei gŵr yn bendant. 'Hen bryd i ni gael amser i ni ein hunain heb orfod edrych ar ôl rhywbeth arall. Iesu, dydi'r ci ddim callach beth bynnag.'

Tynhaodd gwefusau ei wraig, yn dangos i'w gŵr nad oedd yn cytuno, heb ynganu gair. Byddai hi wrth ei bodd yn cael ci bach del fel hwnnw a mynd â fo am dro ar lethrau'r mynydd. Byddai'n rhoi esgus iddi wneud mwy o ymarfer corff. Trodd ei sylw at y pecyn bach. 'Wel... be sy yn hwnna? Wnest ti'm prynu dim ar Amazon, naddo?'

'Naddo,' atebodd Tom yn finiog braidd, er yn hanner meddwl efallai ei fod wedi gwneud, gan droi'r bocs yn ei ddwylo'n fyfyriol. 'Tom ac Eira Davies mae'n ddeud. Sef ni, 'de.' Edrychodd y ddau ar ei gilydd, yn gwybod dim. 'Waeth imi ei agor,' meddai gan rwygo'r cynhwysydd cardfwrdd.

Tynnodd ohono ffrâm fechan, ac ynddi lun. A syllodd arni.

'Be sy, Tom?' gofynnodd Eira. Atebodd o mohoni. 'Dangosa i fi, 'nei di?'

Rhoddodd y ffrâm iddi, a thawelodd hithau hefyd. 'Pryd oedd hwnna?' gofynnodd wrthi.

'Y parti, mae'n rhaid,' meddai'n wan. 'Yr un oedden ni'n siarad amdano'n gynharach.' A dyna oedd rhwng y ffrâm serennog fach rad – llun o'r tri ohonynt; Tom ar y chwith, Eira ar y dde a Gareth rhyngddynt, y tri'n gwenu fel mwncïod, fel petai'r tynnu llun y peth llonnaf erioed. 'Dim ond hwnna sy?'

'Ia. O swyddfa bost y pentra.'

'Pryd gafodd o'i anfon?'

'Ddydd Mawrth debyg.'

'Ond... ond dyna'r diwrnod ddaru fo...?'

'Ia, Eira. Y diwrnod hwnnw.'

'Ond pam?' Pwysodd gledr ei llaw'n dynn am ei cheg.

Eisteddodd Tom wrth ei hymyl eto. Roedd yn anrheg ryfedd. Ac er na allai feddwl beth i'w ddweud, dywedodd, 'Dwy seren ganol dydd.' Edrychodd Eira'n wirion arno. 'Ni, yn de, Eira? Ti ddim yn cofio i chdi ddeud yn gynharach – mi ddywedodd o ein bod ni'n ddwy seren, dwy seren ganol dydd. Dyna ddudaist ti.'

'Ia,' meddai hi, wedi drysu o hyd. 'Ond dwi ddim yn dallt.'

'Dwi'n meddwl fy mod i,' atebodd ar ôl sbel. Trodd ei ben tua'r nenfwd, fel petai'n edrych drwyddo. 'Fel y dwedaist ti, roedd ganddo fo feddwl y byd ohonon ni. Ac roedd o bob amser yn ddiffuant; byth fel rhai pobl yn canmol yn ddifeddwl. Yn ei fyd o, roedden ni'n ddwy seren.'

'Dwi'n dallt hynny, Tom,' atebodd Eira, ddim callach. 'Ond sêr ganol dydd?'

'Ia. Meddylia am y peth. Mae'n bywydau ni ein dau wedi bod mor hawdd – yn gywilyddus o hawdd a deud y gwir. A fuon ni wastad yno i'n gilydd, chdi a fi. Rydan ni wedi cael bywydau da. Ac os wyt ti'n seren, a bob dim o dy gwmpas yn olau fel y dydd, ti'n ddall yn dy ddedwyddwch dy hun. Yn anghofio popeth arall. Yn anwybyddu popeth arall. Ddim mewn ffordd faleisus, ond mewn ffordd ddiog.

Dwy seren ddaru roi'r gorau i gredu yn y nos.' Nid atebodd Eira. 'Ac mae gynnon ni ddigon o sêr yn ein hawyr ni, Eira,' parhaodd, 'digon i bara oes – digon, efallai, i golli ambell un heb darfu ar y cyfanwaith. Doedd ganddo fo ddim ond dwy drwy'r cyfan. A rhai ganol dydd oedden nhw.'

Trawyd Eira'n ddisymud. Ond estynnodd Tom ei goesau ac aeth at y bwrdd cornel eto, lle cedwid y diodydd cadarn. Trodd dop euraidd y botel i'w hagor. Cydbwysodd y botel dros wydr, yr hylif melyn drewllyd bron â phlymio iddo, a throdd at ei wraig i'w holi yn ddi-ddweud. Daeth Eira ati ei hun ar ôl i'w ffôn, a oedd yn dal yn ei llaw, ei hatgoffa ei fod yno gan un cryniad olaf, a throdd ei sylw at y neges arno o'r diwedd. Anwen. Rhythodd arni'n ddwys cyn ymateb.

'Ddim i fi, Tom,' dywedodd ar ôl saib. 'Ti'n iawn amdanon ni. 'Dan ni'n iawn. Ond ddim pawb sydd. Os oes yn rhaid i fi fod yn seren, byddai'n well i fi fod yn un ganol nos. Os weli di Gwenfair yn dod yn ôl yn nes 'mlaen, rho wybod i fi. Mae gen i syniad.'

Deallodd Tom eiriau ei wraig, a nodiodd. Edrychodd yn ôl ar y wisgi, yn dal i gydbwyso'r botel dros y gwydr yn fwy ansicr. Clywodd eiriau Gareth yn ei ben yn ei annog. "G'wan, mêt, gwna hi'n un fawr."

Caeodd y top yn ôl ar y botel. Ddim y tro hwn, Gareth, ddim y tro hwn.

Rhif 5

N ID OEDD Y tân yn fawr nac yn ofnadwy o boeth, ond
roedd ei gracellu'n dod â chynhesrwydd cyfarwydd
i'r ystafell fyw. Dawnsiodd darnau papur llosg ohono'n
chwit chwat uwchben trwch llwch yr aelwyd.

'Mae isio mwy o bren arno fo,' meddai Rhisiart. Roedd
yn hoff o dân iawn yn ei dŷ ond ni feistrolodd erioed mo'r
grefft. I'w aelwyd ef yr âi tanau i farw. Lobiodd lwmpyn
mawr o bren arno'n flêr, a'i lladdodd fymryn, cyn ei
amlapio'n awyddus. Dylyfodd y gath ei gên yn anfodlon.

'Rydych chi wedi lladd y gwres,' meddai'n flin. 'Dylech
fod wedi gadael llonydd iddo, roedd yn gynnes braf nes i
chi amharu arno'n anghelfydd.'

'Gwrandewch, Beti Jones,' dwrdiodd Rhisiart, 'stopiwch
gwyno neu mi a'i â chi allan, i'r glaw a'r gwynt mawr.
Rydach chi'n ffodus fy mod i'n ddigon caredig i wneud
tân i chi a rhoi to uwch eich pen, heb sôn am roi bwyd i
chi. Roeddech chi'n crwydro'n ddigyfeiriad fel gwlithen
ar y rhos cyn dod yma, wedi'ch denu gan y gawod gig
annisgwyl a dirgel 'na ddigwyddodd. Dangoswch ychydig
o barch, dydi hi ddim yn ymdrech fawr i wneud hynny.'
Gorweddai Beti Jones o flaen y tân yn ddiog, yn ymestyn

ei phedair coes a dylyfu gên eto. Newidia hi mo'i ffordd i unrhyw un, yn enwedig i fygythiadau gweigion.

Gafaelodd Rhisiart yn dynn yn nwyfraich ei gadair ledr wyrddlas, yn edrych ar yr ystafell drwy ei sbectol drwchus. Dyna ddangos iddi hi, Beti Jones, pwy oedd meistr y cartref. Er, wnaeth o fawr yn fwy na hithau heddiw. Taclusodd, yn ei dyb ef, ond symud un llanast i le arall a wnaeth mewn difrif, a thaflu unrhyw fanion i'r tân yn ddifeddwl. Roedd wedi bod yn ddiwrnod budur tu allan, y glaw heb ildio fymryn, a chlydwch cymharol y tŷ oedd y lle callaf i fod. Roedd y dydd erbyn hyn yn mynd am ei ddiwedd, a chododd i gynnau'r lamp ar ochr yr ystafell i wahodd y golau.

'Dyna well,' meddai, wrth i Beti Jones rolio'i llygaid. Roedd yn well ganddi hi'r tywyllwch.

'Gwelliant ar y naw. Fe ddylech fod wedi'i wneud awr dda yn ôl,' crawciodd Penfras ato o silff uchel, yn pincio'i blu glas trwsiadus. 'Fe af yn gysglyd pan fo hi'n dywyll yn y tŷ ac yn meddwl ei bod yn nos arnom. Nid wyf yn hoff o'r nos. Ni allaf weld beth mae Beti Jones yn ei wneud ac rwy'n siŵr ei bod hi eisiau fy mwyta.'

'Peidiwch chwi â chellwair am y fath bethau, Penfras,' atebodd hithau'n ddiamynedd. 'Fytwn i ddim parot bach anhreuliadwy fel chi pan fo tuniau o gig cwningen ac eog yn cael eu darparu yma. Does gennyf ddim awydd poeri allan eich plu ar ôl eich llyncu fel sgiadan, a chithau'n gwneud dim drwy'r dydd ond am eu twtio i geisio gwneud eich hun yn smart, fel tasech chi o bawb am fynd i rywle.'

'Mae'n rhaid i rai ohonom ymdrechu, Beti Jones,' atebodd yntau wedi'i frifo. 'Chofia i ddim mo'r tro diwethaf i chi fynd i'r fath ymdrech; y cyfan rydych chi'n ei wneud y dyddiau hyn ydi rholio o amgylch y parlwr fel sach dew o farblis yn aros am eich cinio.'

'Rhag eich cywilydd!' meddai'n ddig. 'Rydych chi'n anghofio, Penfras, yr wyf innau'n hen gath erbyn hyn, i bwy y trafferthwn i fod yn drwsiadus?

'Rŵan, rŵan chi'ch dau,' tarfodd Rhisiart ar eu traws. 'Dyna ddigon. Rydan ni i fod yn deulu bach hapus yma, a'r peth ola sydd ei angen arna i ydi chi'ch dau'n ffraeo ddydd a nos. Rydach chi'n union fatha Mam, Beti Jones fach, yn achwyn ar bawb, ac yn anfodlon ar bopeth hefyd. Does yna ddim angen brathu bob tro, er eich bod chi'n gath. Penfras sy'n iawn tro 'ma. Mae'n well i ni drio fod yn dwt, rhag ofn i ni gael fusutors.'

'Pa fusutors wir?' tarodd Beti Jones yn ei hôl yn anghrediniol. 'Y dyn post? Y dyn nwy? Lladron? Ha! Dywedwch wrtho, Penfras.'

'Na wna i wir,' meddai Penfras. 'A waeth bynnag, postmones sydd gennym ni. Rydych chi mor hen ffasiwn weithiau, Beti Jones. Mae'r byd yn troi a chithau'n mynd i'r cyfeiriad arall bob tro.' Trodd hi ei thrwyn arno.

'Wel, dio'r ots pwy sy'n dod draw, nac ydi? Mi fyddai o'n

neis tasan ni o leia'n ymddangos yn barchus iddyn nhw,' atebodd Rhisiart yn swta, gan roi ei ddwylaw ynghyd fel mewn gweddi â Duw. 'Dydan ni ddim am i bobl feddwl nad oes yna safonau yn y tŷ 'ma.'

'Safonau! Rydych chi yma'n yfed brandi ers amser cinio, ac yn edrych ar eich ffôn fel dyn gwyllt, er nad ydych chi byth yn cael unrhyw negeseuon arno, nac yn gwybod sut mae ei ddefnyddio'n iawn, rwy'n siŵr,' meddai Beti Jones. Gwenodd Rhisiart a chymrodd lwnc. Roedd yn ddigon hoff o dreulio dydd Sadwrn yn yfed yn hamddenol braf, yn synfyfyrio ac edrych ar beth ddywedai'r bobl wirion ar y we. Agorodd ei ffôn a chodi ei aeliau'n foddhaus.

'Dwi'n gwybod yn iawn sut mae ei iwsio fo, diolch. Sbïwch, mae 'na un deg pedwar o bobl yn fy nilyn i rŵan. Byddin o bobl! Pob un ar bigau'r drain isio gwybod be sydd gen i i'w ddweud.'

Hofrodd Penfras i lawr at fraich y gadair i fusnesu. 'Pwy sy'n eich dilyn?'

'Yr un bobl â fuodd yn ei ddilyn ers pythefnos,' gwgodd Beti Jones.

'Wel, hoffwn i glywed eto,' brathodd Penfras yn ei ôl yn ddyletswyddgar. 'Efallai nad yr un bobl mohonynt.' Ysgydwodd hi ei phen a chau ei llygaid.

'Gadewch i ni weld,' dywedodd Rhisiart yn frwd, gan fyseddu'r ffôn yn araf fel petai'n bos. 'Wrth gwrs, yr Asiantaeth Safonau Bwyd – fydda i'n anfon lluniau o 'nghoginio atyn nhw, i'w helpu nhw wrth eu gwaith. Maen nhw'n dysgu llawer wrth weld bwyd o safon gystal dwi'n siŵr. Mi anfonais i lun iddyn nhw o'r gacen fendigedig 'na wnes i wythnos diwethaf, os cofiwch chi, ac mi wnaethon nhw hoffi fy neges, sy'n dweud cyfrolau. Clwb Merched y Wawr Llanllwni. Y Cyngor Llyfrau – mae angen iddyn nhw ddilyn rhywun fel fi i ddysgu be 'di llên dda. Hwn fan yma ydi rhyw Ymgynghorydd Gwleidyddol Arbennig o Gaerdydd, mae o'n hoffi bron popeth dwi'n ei ddweud. Meddwl 'mod i'n ddoeth, mae'n rhaid. A dyma chi ferch ddel o'r enw Victoria – pishyn, tydi?' Dangosodd ei llun i Beti Jones a Penfras, a lledodd eu llygaid fel olwynion tractor. 'Mi ges i neges ganddi hi'n dweud ei bod hi'n licio fy llun a'i bod hi isio dod i fy nabod i'n well. Dan ni'n sgwrsio ers rhyw ddeufis. Ddaru mi yrru pres ati iddi allu dal y trên yma. Wel, fel y dywedodd hi, mae hynny'n deg os na hi sy'n teithio, tydi? Gallai hi ddod at y drws unrhyw funud, fentrwn i.' Ni ddywedodd y gath na'r parot air, dim ond cyfnewid meddyliau wrth edrych tuag at y drws yn betrus.

'Wel ia,' meddai Penfras, yn troi'r sgwrs. 'Fydd rhaid i chi edrych eto wythnos nesaf i weld beth sydd wedi digwydd yn y byd.'

'Mi wna i.' Rhoddodd ei ffôn yn ôl ar fraich y gadair a llowciodd weddill ei ddiod. 'Ydi hi'n amser am un arall?' gofynnodd i'w gyfeillion.

'Pam lai, fyddwch chi na challach na gwirionach gan un arall,' meddai Beti Jones yn surbwch.

'Ond,' pwyllodd Penfras, 'mae amser te yn agosáu. Efallai y gwnâi les i bawb pe byddech chi'n troi eich sylw at hynny yn hytrach nag at ddiod arall?'

'O chi'ch dau!' meddai Rhisiart yn annwyl, 'bob amser yn mynd yn groes i'ch gilydd, heblaw pan fyddwch chi'n meddwl nad ydw i'n gwrando. Dwi erioed wedi cyfarfod unrhyw un tebycach i Tada na chi, Penfras. Byddai o bob amser yn cynghori gofal, yn enwedig pan fyddwn yn cael diod fach slei; doedd ganddo fawr o amynedd efo hynny. Ond, ella, chi sydd iawn wedi'r cwbl, fel y byddai o bob tro. Mi wnâi o les mawr i ni'n tri gael ein te rŵan,' dywedodd gan godi o'r gadair yn ansefydlog braidd, a mynd am y gegin. Fe'i dilynwyd ganddynt, Penfras yn sionc a Beti Jones yn ymlusgo'n lluddiedig.

'Reit, 'te,' datganodd yn uchel a chlapio'i ddwylo at ei gilydd. 'Be gawn ni? A garech chi gig i de heno, Beti Jones?'

'Fe garwn hynny'n fawr,' atebodd Beti Jones gan foesymgrymu. 'Y cig cwningen, wrth gwrs. Rwyf wedi alaru ar yr eog.'

'Wrth gwrs.'

'Fe'i cymraf yn fy mhowlen, mi gredaf.'

'Wel wrth gwrs, Beti Jones. Ac i Penfras?'

'Mi gymeraf i fy hadau arferol, diolch. Yn anffodus,

does dim arall y gallaf i ei fwyta,' meddai Penfras yn drist, cyn ychwanegu'n obeithiol, 'onid oes gennych ychydig o ffrwythau imi? Mi fyddant yn fy nghadw'n iach ac yn gryf ac yn rhoi sglein i'm plu.'

'Gadewch i ni weld!' A gyda hynny aeth at y bowlen ffrwythau. Yr oedd ynddi un fanana feddal ac ambell rawnwinen. Rhoddodd y grawnwin ar blât, a diosg croen y fanana a'i thorri'n ofalus yn ddarnau bach pert fel y gwnâi'r bobl ar y rhyngrwyd, cyn eu cyflwyno gerbron Penfras. 'Ydi hyn at eich dant?'

'Ydi, wir. Diolch i chi, Rhisiart,' atebodd y deryn, yn llawn werthfawrogi'r arlwy.

'Croeso tad, Penfras, mi fydd gynnoch chi blu gorau'r fro ar ôl bwyta'r rheini! Felly, mae gennych chi eich ffrwythau, ac mae gan Beti Jones ei chig. Ond be ga i i de dŵad?' Edrychodd y tri ar ei gilydd, heb wybod yr ateb i'r pos. Ennyd, rhoddodd Beti Jones awgrym i'r triawd.

'Oni fentrwch i'r oergell a gweld pa bethau sydd ynddi?'

Aeth Rhisiart at yr oergell a gwneud hynny. Roedd hi'n wag, ond am un dafell drwchus o gaws. Gwenodd fel yr haul wrth ei hymestyn. Yr oedd yn berffaith.

'Brechdan gaws!' dywedodd ag arddeliad, cyn nôl y bara a chreu un go anffurfiedig, yn haenau anhafal hurt. Byddai'n gwneud llun da i'w roi ar Instagram, meddyliodd wrtho'i hun, wrth gario plât Penfras a phowlen Beti Jones drwodd i'r ystafell fyw ac ystyried pa ffilter fyddai'n fwyaf addas, cyn nôl ei frechdan. Bwytodd y tri mewn distawrwydd, yn mwynhau bob brathiad o'r pryd yn arw, ac yn mwynhau cwmni mud ei gilydd. Fel hyn y dylai teulu fwyta, meddyliodd Rhisiart; fel hyn y dylai fod. Ar ôl darfod, daeth yn amser am frandi bach arall, a chymrodd lwnc dwfn ohono cyn eistedd yn ôl yn y gadair, wrth i Beti Jones eto ddiogi gerbron y tân fel sgarff lwyd drwchus, ac i Penfras edrych allan drwy'r ffenestr.

'Mae'n nosi'n arw,' meddai. 'Nid wyf yn hoff o'r nos. Mae'n ansicr ac yn fy nallu. Nid hen dylluan gas mohonof. A gaf i aros i fyny ychydig yn hwyrach heno, yn lle mynd i 'nghawell yn gynnar? Allwch chi adael y goleuadau ymlaen am ychydig hirach, efallai?'

Nodiodd Rhisiart ei ben. 'Pam lai. Mae hi'n nos Sadwrn, felly dwi ddim yn gweithio fory.'

Edrychodd Beti Jones arno mewn cryn syndod. 'Does gennych chi ddim gwaith beth bynnag!'

'Peidiwch â bod mor anghwrtais, Beti Jones,' ceryddodd Penfras. 'Mae gwaith ganddo. Onid ydi o wrth y cyfrifiadur hwnnw ddydd a nos yn ystod yr wythnos yn cadw golwg agos ar bopeth a ddigwydd yn y byd?'

'Gorchwyl i'r gwachul, o dderyn bach syml. Nid yw syllu ar fyd o'r tu ôl i sgrin ond i'r sawl heb le yn y byd hwnnw. A ddaw o ddim â cheiniog i'r cartref hwn.'

'Wel, mae'n rhaid i rywun ei wneud. Mae'n waith mawr

ceisio gwneud synnwyr o'r cyfan, yn enwedig i barot bach diniwed fel fi.'

'Ond nid *gwaith* mo hynny, Penfras. Na, byddai'n well petai ein Rhisiart ni'n mynd lawr ar y bws i'r dref, ac yn dod o hyd i damaid o waith yn stacio'r silffoedd yn yr archfarchnad, neu'n gweithredu'r til, ac yn ymwneud â phobl fel yr arferai, na bod yma drwy'r dydd yn chwilio am bethau i'w ddifyrru a siarad â chath a pharot.'

'*Mae* o'n gwneuthur pethau digon rhesymol i'w ddifyrru ei hun ac *yn* gweld pobl, Beti Jones, tasech chi ond yn fodlon sylwi ar hynny. Credaf ei bod yn beth da iawn ei fod o'n llenwi ei amser rhydd yn coginio'r holl fwyd bendi–... yyyym, difyr, mae'n eu gweld ar y gwefannau. Gofiwch chi fynta'n gwneud y gacen yna wythnos diwethaf yr ymfalchïai ynddi gymaint? Mi oedd hi'n fendi–... yyyym, yn bictiwr! A chyn ichi feirniadu, chofia i erioed mohonoch chi'n coginio dim yma.'

'Cath dwi, Penfras, fedra i ddim cwcio.'

'Wel ni wn i beth allwch neu na allwch chi ei wneud, er mi lyfoch chi'r eisin oddi ar hanner y gacen yn farus ddigon, yn do? Rwy'n gobeithio nad oedd gan y ddynes drws nesa otsh.'

'Roddodd o mo'r gacen i honno?'

'Do, chwarae teg iddo. Mi fûm yn edrych arnynt o'r tu fewn i'r ffenestr yma, tra'ch bod chi yno'n chwyrnu'n ôl eich arfer. Credaf y dywedodd o wrthi y gobeithiai y byddai'n ei mwynhau a dwi'n siŵr y gwnaeth yn fawr a llyfu gweddill yr eisin i ffwrdd.'

'Beth ddywedodd hi wrtho?'

'Wn i ddim. Ni wn ei hiaith.'

'Na minnau.'

'Anodd gen i gredu nad ydych chi'n deall rhywfaint ohoni erbyn hyn, a chithau'n galw draw yno i gael te pnawn o bryd i'w gilydd.'

'Wel, rwy'n galw heibio weithiau, Penfras, ydw, er yn bur anaml erbyn hyn cofiwch, a minnau mor hen. Ond na, nid wyf innau ychwaith yn deall gair a ddywed hi – mae pob un a ddaw o'i cheg yn swnio'n union yr un fath imi, fel cyfarth ci ond heb angerdd ci, rhywsut. Heblaw am *Poopy*. Mi fydd hi'n galw *Poopy* arna i funud mae hi'n fy ngweld cyn fy ngwadd i mewn am de, goeliwch chi fyth…'

'Tewch dweud.'

'… ac eto, rwy'n ei gweld hi'n amlach nag y mae Rhisiart, onid wyf? Pryd oedd y tro diwethaf iddo weld rhywun cyn hynny? Na, mae'n well ganddo grwydro rhwng y pedair wal hyn fel rhyw fwbach ddydd a nos.'

'Mae wedi haeddu gwneud hynny, os hynny a fyn, onid ydych, Rhisiart?'

Syllodd Rhisiart allan o'r ffenestr. Hofrodd düwch mynydd tu draw'r dyffryn drwy'r wlybaniaeth drom. Oni welodd yr olygfa honno ganwaith felly? Mor ddigyfaddawd dywyll, ac awyr lwyd arno fel cynfas. Ar lethrau hwnnw y cafodd o ei fagu, flynyddoedd yn ôl, ond roedd ei gof ohono'n wahanol i'w wedd heddiw. Roedd hynny ar adeg pan oedd gan y byd fwy o liw ynddo, a phan fyddai pryderon yn diflannu ymysg blodau melyn y ddôl yng ngwlith pell plentyndod. Heddiw, roedd y gwynt yn ateb y glaw, a'r glaw yn ateb y gwynt, a'r ddau'n creu rhyngddynt gerdd a oedd yn ddofn ei diffyg ystyr.

Dychwelodd o'i ben, ac yn ôl i'r sgwrs. 'Dwi'n meddwl fy mod i, Penfras. Ro'n i'n gweithio i'r cyngor sir am bron ddeugain mlynedd, cyn i 'nghefn waethygu, a bod yn rhaid i fi ddarfod yno. Dewis ymddeol yn gynnar wnes i. Na, fedra i ddim gwneud y fath waith ddim mwy. Hawdd i chi hefru arna i, Beti Jones, ond wnaethoch chi ddim diwrnod o waith yn eich bywyd, dim ond disgwyl i fi roi popeth i chi, a wnaethoch chi ddim cyfrannu unrhyw beth at y tŷ hwn chwaith.'

Llyfodd ei phawen yn bruddglwyfus. 'Nid yw hynny'n deg o gwbl, Rhisiart. Rwy'n cofio pryd y deuthum yma gyntaf atoch, tua'r adeg pan...' pwyllodd, '...adawoch chi eich swydd. Wyddech chi ddim beth i'w wneud â'ch hun, yn stwna o amgylch y tŷ fel pysgodyn aur yn ei bowlen. Mi fûm i'n gwmni mawr ichi, oni fuom i? Byddech wedi colli arnoch eich hun yn llwyr hebof, does gennyf amheuaeth. Ond ni fyddaf yma am byth. Mae cryn flynyddoedd gennych chi, ond yr wyf i'n hen gath erbyn hyn.'

'Peidiwch â siarad felly.'

'Mae'n wir. Roeddwn i'n hen pan gyrhaeddais yma, ac yn hŷn wedyn pan aethoch i nôl Penfras o'r siop yn y dref, a dod yma i'n cartref ni.'

'Roeddwn i'n ddiolchgar i chi ddod â mi yma,' ymatebodd Penfras yn ddidwyll. 'Bûm yn y gawell fechan honno'n y dref yn rhy hir, ond yma mi gaf hedfan rywfaint, heb fynd o'r golwg ychwaith; mae angen cadwyni ar ryddid pawb. A tha waeth, nid oes awydd gennyf fod yn unman arall, ond yma â chi, Rhisiart, a hyd yn oed chi, Beti Jones, er gwaetha'ch ffordd surbwch.' Nid ymatebodd Beti Jones, roedd hi'n flinedig. 'Trueni nad arhosodd Neli Stwmps efo ni.'

Edrychodd y tri tuag at y tanc gwag a'i ymylon gwyrdd llaith ac annymunol. Roedd Neli Stwmps wedi mynd ers tro. Ni wyddai unrhyw un i le. Deffrodd pawb un bore, a Rhisiart wedi gadael pen y tanc ar led unwaith, a doedd neb gartref yno. Dim hyd yn oed nodyn o eglurhad. Un esgus, ac un cyfle i ddianc sydd ei angen ar rai. Chwythodd Beti Jones drwy'i ffroenau'n wyllt.

'Ni fynasai erioed fod yma, y fadfall fach gas iddi, yn sefyll yn stond yn y tanc mawr yna fel petai hi'n foneddiges a bwyta pryfetach a phethau ofnadwy felly a phob amser yn mynd yn groes i mi dim ond er mwyn sbri. Fy hun, ni welaf golled ar ei hôl, ac ni ddylech chwithau eich dau ychwaith. Efallai na allaf innau gyfrannu llawer y dyddiau hyn, ond mae gennych gryn wyneb yn fy mytheirio i pan na wnaethai hithau ddim ond cymryd a chymryd a chymryd. Nid oedd angen rhyw greadur llysnafeddog felly arnom yma. Cafodd bopeth gennych chi, Rhisiart, popeth a ddymunai. Dreulioch chi oriau'n creu'r cartref perffaith iddi, ond ddiolchodd hi ddim mewn gair na gweithred. Digonodd ar bryfaid tewion suddlawn i'w bodloni, cymaint, yn wir, nes iddi feddwl bod y byd i gyd yn bryfaid. Ond ddysgodd hi fel arall pan fu'n rhaid ichi newid i fwydod sychion ar ôl gadael y cyngor sir, ac ymadawodd heb siw na miw, y gnawes fach iddi.'

'Ro'n i'n hapus yn tendio iddi,' atebodd yntau'n wan. 'Roedd ei chroen mor llachar a llawen ar adegau, er weithiau'n dywyll a chas heb reswm nac angen. Yn wahanol i chi, ro'n i'n edmygu'r ffordd yr oedd hi'n medru hawlio'r tanc hwnnw, yn dal ei phen yn gelfydd yn ei phalas pêr. Ond ddim y tanc chwerwodd hi, na'r mwydod sychion. Y ceidwad wnaeth hynny.' Anwesodd y fodrwy ar ei fys. Gwnâi hynny weithiau pan deimlai rywbeth ynddo'n gafael fel bollt am sgriw. Rhoddai gysur iddo.

'Hidiwch ddim, Rhisiart, rydym yn well hebddi,' mynnodd Beti Jones.

'Efallai y dylech gael gwared o'r tanc ac anghofio'r holl beth. Rhaid i bawb symud ymlaen,' awgrymodd Penfras.

'Diolch,' meddai Rhisiart. 'Ond fe gadwn ni'r tanc, rhag ofn. Dydych chi byth yn gwybod a ddaw'r fath bethau'n handi. Pwy a ŵyr, efallai y daw rhywun arall aton ni. Mi fyddai ci pen lôn wedi dod aton ni taswn i wedi cael fy ffordd, a dwi'n siŵr y byddai o wedi bod yn hapus yma yn ein cwmni ni. Mi ddywedodd o wrtha i fod pethau'n arw acw un tro, ar ei ffordd i'r siop, a'i fod yn unig, a neb ei eisiau, yn bodoli ar atgofion dyddiau gwell. Roedd o'n deall.'

'Oddefwn i mo'r ffasiwn sarhad, Rhisiart!' ysgyrnygodd y gath. 'Allwch chi ddim disgwyl i gath fyw gyda chi twp fel hwnnw. Byddai'r peth yn gwbl annerbyniol gennyf.'

'Ci twp, Beti Jones, ci twp? Efallai ei fod o'n dwp, wn i ddim. Dyna mae hiraeth yn ei wneud, a thristwch hefyd, ein gwneud ni'n dwp bob yn dipyn os mai dyna'r cyfan sydd ar ôl. A chi gafodd eich ffordd, fel arfer, felly peidiwch â bod mor flin. Rydych chi'n union fel Mam. Wnaeth hi erioed ganiatáu i fi gael ci chwaith, er fy mod i isio un yn fwy na dim yn byd, er i fi bledio efo hi gant o weithiau.'

Tawodd pawb. Ond sbonciodd Penfras draw ato, wrth iddo sipio o'i wydr yn drwsgl. Rhoddodd ei big wrth ei glust a sibrwd, 'Peidiwch â chymryd sylw ohoni, Rhisiart, y mae hi'n annwyl yn ei chorun. Ac y mae hi'n poeni amdanoch. Fe ddywed wrtha i'n aml, chi ydi ei holl fyd a'm holl fyd innau hefyd. Fe fyddwn ni'n iawn heb Neli Stwmps; daw un i lenwi ei lle yn y pen draw, rwy'n siŵr. Ci bach del, a'i lygaid arnoch chi a chithau'n unig. A byddwn ni ein dau yma gyda chi, waeth beth a ddigwydd, bob tro.'

'Diolch, Penfras. Rydach chi'n garedig. Rydach chi bob

amser yn ffisig i eiriau cas y lleill. Rydach chi'n union fel yr oedd Tada.'

Aeth y brandi i lawr yn araf, a setlodd y tri i drwmgwsg. Bu farw'r tân, a daeth y tywyllwch yn ei le, a'r gwynt o fynydd du ystlys arall y dyffryn yn chwibanu i lawr y simdde fel gwrach.

Rhif 6

C LICIODD PEARL Y ddolen yn araf, fel petai'n disgwyl i ffanffer ganu ar ei ôl i ddathlu'r foment. Mewn dirgel ffyrdd dros wythiennau'r we roedd yr arian yn gadael ei chyfrif ac yn mynd i'r cwmni awyrennau. Eisteddodd yn ôl yn fodlon. Symudodd Pearl â'r oes. Roedd hi'n deall y we a chyfrifiaduron – roedd ganddi iPad hyd yn oed. Nid oedd hi am fynd yn hen a musgrell fel ambell un o'r bobl eraill roedd hi'n eu gweld ar y stryd hon o bryd i'w gilydd, na gadael i sawdl amser ei gwasgu'n slwtsh.

Ymhen mis byddai'n ôl yn Fenis, ei hen stomple, ac ni fedrai aros. Bu'n flynyddoedd ers iddi fod yno, ac yn hwy byth ers iddi fyw yno. Gadawodd i'w meddwl grwydro'r cannoedd o filltiroedd dros dir a môr nes cyrraedd ei chamlesi gwyrddlas eto, a sŵn y tonnau'n taro'u hymylon yn fwyn. Gwelodd a chlywodd y cyfan fel petai eisoes yno. Estynnai cadarn adeiladau'r hen ffydd tua'r nefoedd, yn cynnal gweddi ddyletswyddgar dros y ddinas, ac yn cipio sylw'r preiddiau o dwristiaid a gyrhaeddai yn eu miliynau bob blwyddyn rhag y strydoedd cudd a lechai o'u golwg, lle âi bywyd bob dydd rhagddo'n hidio dim amdanynt. Roedd yn adnabod bob cam ohoni; y caffis gorau i fachu *café*

cyflym, y mannau tawel wrth y lagŵn amddiffynnol maith
i gysgodi rhag haul haf, a'r llefydd gorau i eistedd allan
wedi i'r haul ddiflannu am y gorllewin dros winllannau
ffrwythlon a thoeau cochion dolydd Veneto, i sipian Spritz a
gwrando'n unfryd â'i chwmni ar unsain feiolin perfformiwr
stryd rhwng siarad dwfn cyfeillion. Aethai amser yn ei
flaen yn araf a chyflym ar yr un pryd, a rhwng y pasta a'r
piazzas, roedd wedi rhoi lliw i'w lluniau.

A, Fenis. Ni fydd tragwyddoldeb yn ddigon i ti.

Daeth ei meddwl yn ôl i Gymru'n sydyn gyda'r gwynt
yn hyrddio'n chwyrn, a'r glaw'n pistyllu'n anhrefnus ar y
Sadwrn diflas hwn. Am le. Yr oeddynt rhyngddynt wedi
chwalu'r rhosod a dyfodd yn ofalgar yn yr ardd gefn, eu
petalau'n cael eu cipio i'r awyr i ehedeg yn wyllt i rywle
arall. Efallai y cyrhaeddai un Fenis, pwy a ŵyr, i ddawnsio
gyda'r strydoedd. Byddai'n rhaid iddi gofio e-bostio
Alessandro a Celina i ddweud pa bryd y byddai'r awyren yn
glanio. Gwnâi ei ffordd yn araf o'r maes awyr, cyn cymryd
bws dŵr at eu cartref ar ynys draethog Lido. Cymerai ei
hamser, meddyliodd, a braf fyddai achub ar y cyfle hwnnw
i ymarfer ei cheg â thonau hawdd Eidaleg cyn gweld ei
ffrindiau eto, iddyn nhw gael gweld na chollodd air ohoni.
Dysgodd yr iaith yn awchus yn ystod ei thair blynedd yno,
er erbyn hyn bu'n dro ers iddi ei siarad. Sut fyddai dweud
ei bod hi'n hapus i fod yn ôl, dwedwch?

Caeodd y dudalen we, a mynd i agor gwefan ei chyfrif

banc i weld a adawodd yr arian yn barod, yn twyllo'i hun ei bod yn ddi-hid amdano. Roedd hynny'n ei natur, er y ceisiodd anwybyddu'r peth. Enaid rhydd oedd Pearl yn y bôn, a gafodd ei chaethiwo gan flynyddoedd o weithio fel cyfrifydd – un da gythreulig o ran hynny – heb allu denig ond am fis y flwyddyn. Roedd hi'n swydd ddiflas ond yn talu ffortiwn fach. Gwnaeth ei harian a chymerodd hoe o ferw'r ddinas fawr, gan lenwi darnau gweigion o'i bod ym mhellteroedd byd, cyn i ragluniaeth ei thywys yn ôl yn agosach adref, a tharodd ar Fenis gydag awydd rhyfeddol i ymdoddi iddi. Dychwelodd at ei gwaith am sbel, ond gyda'r cyfrif banc mor iach ni ddaliodd ato'n hir. Yr oedd ynddi erbyn hynny fwlch na allai prosecco ar ôl gwaith mewn bar sgleiniog ei resi gwydrau ei lenwi mwyach. Nid oedd yn hen, ond yn hytrach yn hŷn, a chrefai am dawelwch ac arafwch ac awyr iach, ac yn fwy na dim am ryddid i fyw a gwneud y pethau bychain a oedd yn ei boddhau.

Naw wfft i'r fath feddwl, roedd hi'n mynd yn ôl i Fenis! Aeth i lawr y grisiau'n sionc. Câi'r gwpanaid olaf o'r coffi a brynodd yn Ffrainc y tro diwethaf y bu yno. Byddai düwch y coffi yn ysgafnhau llwydni'r cymylau ac yn dwyn yn ôl atgofion y mis dihafal hwnnw mewn fila yng nghefn gwlad Limousin, lle'r oedd yr ehangdir yn gynnes ei wead a'r mellt yn chwim ac oren trosto yn ystod nosweithiau sychaf yr haf. Rhoddodd y tegell ymlaen, a syllodd drwy'r ffenestr wrth aros amdano. Cofiodd beth a aeth drwy ei meddwl drwy ddod yma yn y lle cyntaf. Roedd y diwrnod y daeth i weld y tŷ ryw bum mlynedd yn ôl, ar ôl ei weld ar-lein, yn hirddydd haf go iawn. Edrychai'r bwthyn yn union fel yr oedd ar y we: y tŷ pen ond un mewn rhes o fythynnod bychain del, smart yr olwg, fel plant ysgol ar ddiwrnod tynnu llun. Roedd hwn wedi'i wyngalchu, gydag ymylon y drws a'r ffenestri'n sgleinio'n ddu fel siocled tywyll dan olau croesawgar yr haul. Apeliodd yr ystafelloedd smwt a chlyd, ac roedd yr ardd yn llawn o rosod llawen eu blagur. Gwnaethai ymdrech barhaus, bur lwyddiannus i'w gadw yn yr un cyflwr ag yr oedd y diwrnod hwnnw, heblaw am y plac enw. Gosododd un newydd yn ei le, gan gadw'r hen un llechen yn y gegin i'w hardduno. Craffodd arno.

Rhif 6
Bwthyn Rhosod

Enw addas, debyg, meddyliodd. Ond roedd rhaid iddo fynd; roedd hi wedi talu am y tŷ yn yr awyr iach, a'i leoliad cyfleus rai milltiroedd o'r dref agosaf, ac nid am ei etifeddiaeth na'i hanes, os oedd gan dŷ y fath bethau. Roedd wedi busnesu rownd yr ystafelloedd a phenderfynu ar unwaith wrth wneud mai hwn oedd ei thŷ hi. Yma, meddyliodd, y byddai hi'n treulio gweddill ei hoes. Dylai fod wedi gwrando ar y larwm a seiniodd yng nghefn ei meddwl ddiwrnod y prynu wrth siarad â'r gwerthwr tai a ddaeth i gwrdd â hi yno.

'*So do you live in the area?*' gofynnodd Pearl iddi wrth adael drwy'r drws ar ôl *viewing* boddhaus iawn, i gloi'r apwyntiad mewn ffordd gyfeillgar.

'*Yes, only a few miles away,*' atebodd y ferch ifanc drwsiadus.

'*It's very beautiful, isn't it?*' dywedodd, gan bwyntio tua'r mynyddoedd, er mai pitw oeddynt o'u cymharu â charnau gwynion yr anturiaethwyr a welodd hi ar ei theithiau – roedd y rheini'n fynyddoedd go iawn. Ond roedd gan y rhain eu swyn. Roedd yr awyr lond ei lesni, ac ond un cwmwl yn eistedd ar un o'r copaon fel penwisg barnwr, yn dedfrydu'r dyffryn i'w dynged.

'*Yes, very beautiful. I couldn't imagine living anywhere else really, although it was quite difficult to find a house we could afford.*'

'*When did you move to north Wales?*'

'*Oh, I've lived here all my life.*'

'*Really? I thought I detected a bit of a Liverpudlian accent there?*'

'*No, no, just a Welsh accent,*' meddai'r ferch, a holodd Pearl ddim mwy. Roedd acen hon yn gwbl anghyfarwydd iddi – a dweud y gwir, roedd hi'n meddwl o'i hateb i'r ferch ei chamglywed. Ond dechreuodd y darnau ddisgyn i'w lle yn fuan ar ôl iddi symud i mewn.

'*Bradda tweef bravue,*' meddyliodd, oedd y cyfarchiad cyntaf a glywodd gan un o'i chymdogion newydd rai diwrnodau ar ôl iddi ddechrau setlo, a hithau wrthi'n y ffrynt ar ben ystol fychan yn gosod basged grog o flodau pinc ger y drws.

'*I'm sorry?*' atebodd, braidd yn betrus, i'r henwr bach.

'*English are you?*'

'*Yes? Yes!*'

'*Oh I see. I'm Nedw from the end there. It's a nice morning I said.*'

'*Ah, yes it is. What was that you said again, if you don't mind my asking?*'

'*Oh yes, "bora da ma hi'n braf heddiw" I said. "It's a nice morning today" it means in Welsh.*'

'*You speak Welsh do you?*'

'*Of course. We all do here. Even my dog speaks Welsh.*'

'*Your dog speaks Welsh?*'

'*Yes, he understands everything I say*, yn dwyt ti?' meddai wrth y ci ifanc egnïol wrth ei ochr a gyfarthodd yn ôl wrtho yn eisiau sylw. '*There's no point you saying anything in English to him. No hope. He only sits in Welsh.* Ista rŵan tra dwi'n siarad, 'nei di?' Gwrandawodd y ci'n frwd ar ba gyfarwyddyd bynnag a roddodd iddo, ond pa syndod? Swniai ei eiriau'n debycach i gyfarth nag iaith.

'*I'm more of a cat person myself I'm afraid, although he is a lovely little dog,*' meddai Pearl, gan droi ato. Penliniodd i lawr, a rhoddodd fwythau i'w ben a dweud wrtho '*Aren't you? You're a good boy aren't you? You remind me of a chinchilla with that thick coat. I always wanted one of them; they're very docile, but you're close enough aren't you?'*

Syllodd y ci bach yn ôl arni'n llonydd, ei ben yn gwyro i'r ochr, nes i'r henwr ddweud wrtho, 'Dyweda diolch wrth y ddynas glên, boi!' a neidiodd coesau stwmp y ci i fyny at lin Pearl a rhoddodd lyfiad i'w hwyneb. Chwarddodd yr hen ŵr yn llawen, er y cafodd hi rywfaint o fraw o hynny – roedd yn ddigon drwg nad oedd arno dennyn – ond ymsythodd yn ddigon urddasol a safodd drachefn. *'I told you that he only speaks Welsh, didn't I?'*

'Well I speak fluent Italian but I'm not sure sure I'd be very good at... Welsh... I didn't expect...'

'It's more use here than Italian.'

'Isn't everyone here able to speak English?'

'Yes but we don't because we speak Welsh you see. Even the animals!'

Ac eithrio hurtni honni bod anifeiliaid ddim ond yn deall Cymraeg, roedd y geiriau'n wir, gan mwyaf, ac am resymau na allai hi mo'u dirnad, gwnaeth hynny ei hanesmwytho i'w mêr. Prin y gallai hyd yn oed fynd i'r siop leol i nôl llefrith heb ofni'r 'diolch' cyfeillgar ei dôn ond cras ei sŵn y byddai'n ei gael ar ôl ei brynu. Roedd hi wedi byw dramor, ac fe fu i gyrion byd yn ystod ei blynyddoedd, a chlywed ieithoedd dirifedi gan bobl mor wahanol – ond nid oedd y sefyllfa yma'r un fath. Disgwyliai i Eidalwyr siarad Eidaleg, ac i bobl yn India neu Fietnam siarad iaith wahanol, am eu bod nhw *yn* wahanol gyda'u harferion a'u ffyrdd eu hunain o wneud pethau. Ond ni tharodd mohoni erioed y gallai'r Cymry fod yn wahanol. Roedden nhw'n gwisgo'r un fath, yn bwyta'r un bwyd, yn gwylio'r un sianeli teledu ac yn darllen yr un gwefannau, yn ei golwg hi o leiaf. Yr unig wahaniaeth y gallai ei amgyffred oedd yr iaith hon – nad oedd i'w chlywed ychydig filltiroedd i lawr yr arfordir heb sôn am wrth y ffin honedig – un yr oedden nhw yn ei chadw er eu bod yn medru Saesneg. O holl drigfannau'r ddaear yr aeth iddyn nhw, hwn oedd yr unig le a'i gwnaeth hi'n ddiamwys ymwybodol mai Saesnes oedd hi, a bod hynny rywsut yn beth drwg. Roedd fel petaen nhw'n gwneud iddi deimlo felly ar bwrpas.

Cliciodd y tegell o'r diwedd. Llenwodd ei chwpan a chofio am y tun cacen oedd yng nghornel y gegin. Anrheg annisgwyl a gafodd gan Richard drws nesaf; un ddigon annwyl os rhyfedd braidd, yn debyg i'r dyn ei hun. Clywodd ef yn aml yn siarad yn ei dŷ pan agorai'r ffenestri cefn i ddenu'r awel i mewn; bron y gellid meddwl ei fod yn cael sgwrs lawn yn ymateb i grawcian ei barot a mewian Poopy. Chwarddodd wrthi ei hun wrth feddwl tybed a allai'r anifeiliaid siarad Cymraeg wedi'r cwbl!

Ond byddai tamaid o gacen yn mynd yn dda gyda'i phaned, os oedd hi'n dal yn iawn i'w bwyta, a hithau'n eistedd yno'n ddisylw ers rhai diwrnodau. Agorodd y tun â chryn drafferth – fuodd ganddi erioed ddwylo cryfion – ac edrych ar beth bynnag oedd ynddo. Yr oedd ei siâp rhwng sgwâr a chylch a'r eisin yn drwchus ar un ochr, ac yn rhesog yr ochr arall, bron fel petai rhyw greadur wedi rhoi cynnig arni gynt. Ai pawen oedd honno? Ni wyddai beth i'w wneud, ond yn sicr doedd hi ddim am ei blasu. Teimlai'n gas yn ei thaflu, a rhoddodd y caead yn ôl ar y tun, a phenderfynu taw anghofio amdani fyddai fwyaf cyfleus. Dywedai wrth Richard iddi hi a Marcus ei mwynhau, rhag brifo ei deimladau.

O ia, Marcus! Roedd angen iddi gysylltu. Roedd hi'n bwriadu ei wadd draw heno. Aeth â'i phaned i'r ystafell fyw i wylio rhywfaint o deledu dros ei choffi, ond cyn ei droi ymlaen, cododd ei ffôn a thecstiodd ei ffrind ond eto mwy-na-ffrind. *Are you still coming tonight? Can make us some food. I've got beef. Maybe cake.* Gwnâi hynny'r tro. Doedd dim byd gwaeth na thecst hirwyntog.

Trodd tua'r ffenestr. Yr oedd o'i bwthyn olygfa a oedd ar ddiwrnod fel hwn iddi'n hyll, a theimlodd i'r haf pell hwnnw pan brynodd y tŷ ei thwyllo. Safai llechweddi porffor surbwch tua'r chwith lle gwaedodd y mynydd ei gyfoeth slawer dydd, gan raddol droi'n fryn bach smwt, a thraed hwnnw'n ymestyn tua'r môr i ymdrochi'n ei wlypter hallt. Edrychodd y glaw oddi uchod fel haid o bryfaid mân dros gorff dafad farw. Teimlodd weithiau nad oedd yr haul ond yn dod yma i fod yn gwrtais. Pwy fyddai wedi meddwl, wedi ymweld â mynaich Bwdhyddol Tibet a dysgu dawnsio bol yn Nhwrci, sipian *sake* Siapan a dod wyneb yn wyneb â llewod y Serengeti, mai yma y byddai hi un dydd yn ei alw'n gartref? O, wel.

Sgimiodd y sianeli, gan daro ar ffilm, a setlo arni. Roedd diwedd ystrydebol i'r antur; rhywun mewn sefyllfa argyfyngus yn dal ar gyfaill gwywedig oedd dros ochr y clogwyn, yn erbyn pob gobaith. Fe'i hatgoffodd o rywbeth, ond cymrodd sbel i'r peth glicio. Wrth gwrs! Beth arall? Y bobl 'ma a'u hiaith. Yn dal arni, yn gwrthod gadael iddi ddisgyn yn llwyr i'r bwlch a'i hwynebai. Onid oedd y peth yn drasig? Yn y ffilm, cafodd yr arwr hyd i ryw nerth ac achub y llall wrth ei dynnu'n ôl o'r dibyn. Ond welodd hi ddim nerth yn y Cymry i wneud yr un fath. Dal eu gafael wrth i'r cyfaill fadru o flaen eu llygaid roedden nhw, er mor sicr y canlyniad: cyd-wywo, cyd-farw, bron ag ymhyfrydu yn anobaith y peth. Ond yn wahanol i'r ffilm rwtsh na allai ond â chywilyddu iddi fwynhau ei gwylio, ni allai hi rywsut ddod o hyd i'r awydd i gefnogi arwr honedig ei chymhariaeth. Ni wyddai a oedd hi'n edmygu'r peth, hyd yn oed, dim ond syllu o bellter mewn rhywbeth tebyg i anghredinedd. Roedden nhw *yn* bobl od. Doedd hi ddim yn eu casáu - ond, nefoedd, nid oedd yn eu deall chwaith.

Daeth sŵn cloch fach o'r ffôn. Marcus. *Tht would BE GREat. shll i bring 1anyhing7?* Roedd ei anallu i ddanfon tecst wir yn crafu arni.

Roedd digon o win yn y tŷ, ond wnâi potel arall ddim drwg. Nid oedd Pearl yn yfed llawer. Mwynhau ei gwin a wnâi hi, nid ei slochian. Ers symud roedd wedi ailgydio yn ei darlunio, ac ni allai ei wneud â phen mawr. Ni lifai'r lliwiau rywsut pan nad oedd ei meddwl hi'n finiog. Ond ar ei gorau, siaradai'r lliwiau â hi, a'i harwain ar hyd y paled i greu cyfanwaith na ellid ei drosi'n eiriau. Cafodd un o'i hoff luniau le mewn oriel leol. *'Dawn'* oedd yr enw a roddodd arno am mai hynny ydoedd iddi hi. Roedd yn braf noson yr agoriad i siarad â phobl o'r un anian â hi a siarad cyfystyron a damcaniaethau gwag, a theimlodd falchder mawr yn cael llun yno â phobl wybodus i'w drafod â hi un wrth un. Mynnodd rheolwr yr oriel, gŵr bychan cwbl anhrawiadol, ei arddangos â'r geiriau *'Dawn / Y Wawr'* oddi tano.

'Does it require a Welsh language translation?' holodd yn ddigon cyfeillgar.

'We operate a bilingual policy, can't make exceptions I'm afraid,' oedd yr ateb anfoddhaus.

'But it's art... does art require a translation?'

'Unofficially I'd say no, but it's the best way of keeping everyone happy, or at least upsetting everyone equally,' meddai, gan ystumio iddi ddilyn. *'You see this picture? It's by a local artist –* "Chwarelwr" *it's called, or* "Quarryman" *in English as you see.'*

'That's a fair description.' Fe'r oedd. Dyn wrth ei waith

yn y chwarel â'i gŷn. Llechweddau llwm. Prin y gellid fod wedi'i alw'n unrhyw beth arall.

'*Maybe it is. However, "Quarryman" doesn't have the same... effect, as "Chwarelwr". The Welsh word implies by its very nature something... something that I know but cannot quite explain. The whole saga, if you like, of the slate industry – the hardship, the grind, the dignity of the working man and the injustices they faced – is somehow enveloped in the word itself.*'

'*Yes – but it's obviously a quarryman. Art speaks for itself.*'

'*As do words.*'

'*Words speak for themselves by their very nature,*' atebodd yn dechrau colli amynedd.

'*They do, but words in different languages speak in different ways. Welsh has its own voice, it belongs to Wales and is of it. Every language on earth can describe Wales, but no other language other than Welsh can convey what Wales is, and conversely Welsh is not really able to convey what anywhere else is. For example, if an author were to write about Wales in Welsh – the land, the people – well, those words have deeper meaning – there's romance and love and sadness ingrained within them. You feel them. But if they try and write about somewhere abroad in the same style it just sounds pretentious. Does that make any sense?*'

Nid oedd hynny'n gwneud fawr o synnwyr i Pearl. Ond,

mor braf fyddai am unwaith cael sgwrs â Chymro nad oedd yn llwyddo i wyro at y blydi iaith! Oedd gan y bobl hyn bethau eraill i'w trafod?

Mi gafodd bedwar can punt am ei darn, a brynwyd y noson honno. Gofynnodd y prynwr i gael siarad â hi – digwydd bod mai Marcus oedd hwnnw, ac felly y bu iddyn nhw gwrdd. Dysgodd fod yntau'n byw yn y pentref nesaf, ond iddo fod yno ers blynyddoedd lawer, a chanddo nifer o gyfeillion yn yr ardal, a chafodd hi ei rhwydo atynt fesul dipyn. Roedd yn fendith eu cael, a nhw oedd ei rheswm dros aros yma. Âi'n aml i gaffi bach Michelle, The Sandy Shack, wrth y traeth, am baned a tships, neu i gapeldy crand Gordon a Patricia i flasu'r cawsiau diweddaraf yr oedden nhw wedi'u harchebu o'r cyfandir mewn swmp. Gordon awgrymodd y gallai hi, a hithau'n artist, gynnal dosbarthiadau arlunio, a gwnaeth hynny bob yn ail bnawn Mercher, o fis Ebrill hyd ddiwedd yr Hydref, yn neuadd dlodaidd ond digonol y pentref cyfagos. Wedi ymddeol (a chwbl anfedrus) oedd y rhan fwyaf o'r rhai a ddaeth, a wnaeth iddi deimlo'n ifanc. Anghofiodd yn eu plith ei bod hithau erbyn hyn hefyd yn derbyn pensiwn.

Some wine would be lovely! Shall we say 7? tecstiodd yn ôl. Dyna ddiwedd i unrhyw gynlluniau y gallai fod wedi'u gwneud drannoeth. Ond roedd eto fodlonrwydd mewn trefnu i segura.

Ymddangosodd pryd i'w baratoi at heno yn ei phen. Yr

oedd ganddi gig eidion, ychydig o foron, brocoli a gwyddai fod tatws yn rhywle. Trodd y popty ymlaen a gweithio ar y cig. Fe'i prynodd o siop fferm bur leol, felly disgwyliai iddo flasu'n dda. Doedd o ddim y *guanciale* a gâi yn Fenis, ond hidia befo am hynny, câi fwynhau hwnnw ymhen sbel. Tybed a hoffai Marcus ymuno â hi? Gofynnai iddo'n nes ymlaen. Dywedodd o'r blaen yr hoffai fynd i Fenis, a phwy na allai dderbyn gwahoddiad am wyliau â llety am ddim yn ninas hyfrytaf y byd?

Aeth y cig i'r popty i feddalu'n stribynnau blasus, a golchodd y gyllell a rhoi pentwr o lysiau o'r oergell ar y bwrdd gwaith yn barod i'w torri'n dalpau mawr i goginio yn sudd y cig. Cadwai ddarn i Poopy rhag ofn iddi ddod draw yfory.

Canodd y ffôn eto. *Illbe there!* oedd geiriau Marcus. *Sturdy Gwyslon right which nmber?*

Siglodd ei phen ar ei ddifaterwch. Daliodd y ffôn yn ei llaw yn bwriadu ateb ar unwaith y tro hwn. Dyrnodd y glaw y ffenestri'n ddialgar, ac edrychodd y rhosod yn foel yn eu brwydr ddiobaith â'r gwynt. Roedd yn braf cael rhywun i ddod ati hi yn lle gorfod mynd allan. Edrychodd plac Bwthyn Rhosod arni'n ymbilgar, fel cardotyn yn mofyn sylw ar stryd amser. Atebodd y neges.

Number Six, Dunroamin. See you later xxx

Rhif 7

A DYNA HI, Anwen, yn chwyrnu eto. Dwyt ti'm yn meddwl ei bod hi'n amser deffro? Dyna nhw'r llygaid yn agor. Bore da!

'O ffyc off, 'nei di!'

Rŵan, rŵan, Anwen. Does dim angen bod fel'na. Mae'n amser i ti godi, a gwneud hynny o'r dydd ag y gelli di. Tyrd, mae gen i gymaint o bethau i'w dweud wrthot ti.

'Mae'n rhy gynnar i ddelio efo chdi eto. Ti'n adrodd yr un hen eiriau bob dydd ac maen nhw'n ddiflas.'

O, Anwen, na. Ti'n gwybod 'mod i'n hoff o'n sgyrsiau ni. Ti ydi fy nghyfrifoldeb, fy nyletswydd. Ac alla i ddim gorffwys er ei bod yn fore Sadwrn. Pa wahaniaeth mae hynny'n ei wneud i ti, beth bynnag? Dim ond yma fyddwn ni drwy'r dydd. Mae digon i'w drafod, cyn i'r glaw ddod drwy'r to.

''Sa well gen i fynd yn ôl i gysgu, ddim meddwl am law na gwrando arna chdi. Mi geith y llechi ddelio â'r glaw – maen nhw'n gryf, mi wnawn nhw bara.'

Un peth sy'n para yn y byd hwn, Anwen. Nid y llechi,

na'r glaw, na phobl – dim ond colled. Ac mae'r byd yn llawn ohoni hi. Colli yw stori bywyd. Colli yw byw. Ac fe wyddost ti beth ydi byw.

Elli di ddim ei thawelu hi, ei rhoi yn y cwpwrdd ac anghofio amdani. Fe geisiaist ti droi dy ben yn gastell i dy warchod rhagddi. Dyna oedd y bwriad. Dwi'n cofio'i weld, y baneri'n herio uwch y tyrau yn dy feddwl. Ond fe wyddwn i eu bod nhw'n wag. Fel cynifer o'r rhai imi eu cyfarfod o dy flaen di, fe greaist ti'r gaer, a'r gwarchae arni hefyd.

'Iawn, iawn, mi goda i. Os fydd hynny'n golygu y gwnei di dawelu am 'chydig funudau.'

A dyma ni, y ddefod foreol. Llusgo o'r gwely am yr ystafell ymolchi; gwallt gwellt fel dynes wyllt. Brwsio dy ddannedd mwsog i geisio bod yn barchus o flaen y drych, mewn pwyllgor â'th lygaid dy hun. Roedden nhw mor las ar un adeg, yn doedden, nid fel y maen nhw'n awr, fel llwydni'r môr ar noson olau. Pryd est ti'n hŷn fel hyn? Croen dy dalcen fel pridd heb ei aredig mewn cae segur, a'r llinellau hynny o dan dy lygaid fel camlesi'r blaned Mawrth. Gwisg o groen am gragen o gorff. Ble'r aeth y wên swynol yr oeddet ti'n ymfalchïo ynddi gymaint? Y wên y dywedai'r hogiau i gyd y gallai swyno angel?

Sgrechiaist yn ddi-ben-draw am i'r angel hwnnw ddod atat, dan lwydrew'r lloer, ond os y daeth, arhosodd o ddim. Ti, Anwen, ydi'r ferch all flino hyd yn oed yr angylion. Mi aethon nhw, ac anghofio amdanat ti. A dwi'n ffynnu yn y mannau yr anghofion nhw amdanynt.

'Ha, angylion! Mi rwyt ti'n Llais twp weithiau. Dwi wedi hen roi'r gorau i wrando ar nonsens fel'na.'

Ac eto ti wastad yn sbio ar hen groes bren dy nain, yn dwyt ti, Anwen? A'i chadw yn dy stafell. Pam? Methu siglo'r hen amheuon? Wyt ti'n disgwyl Llais gwahanol i fi? Ydi'r gobaith yn dy ladd? Dwi 'di dy weld yn gweddïo amdano wrth dy wely, yn teimlo embaras o wneud, ac oferedd dy eiriau.

Dwi'n gwybod bod dy feddwl di wastad yn troi'n ôl i faint yr oeddet ti'n casáu mynd i'r eglwys yn iau, ac ar ddydd cael dy dderbyn yn troi dy gefn a'i heglu hi i ffwrdd. Doedd yr hen allor na'r ffenestri lliw yn dy gynhesu, yng nghanol y ffyddloniaid llychlyd a fyddai'n cwyno bob wythnos mor wag oedd tŷ eu Tad nefol. Cwyno wrth gyfarch, cwyno wrth adael, cwyno yn eu gweddïau am nad oedd unrhyw un arall yn gwrando ar eiriau eu crefydd sych. A does neb ar ôl i wrando ar dy rai dithau chwaith, dim ond fi.

Mi wnest di adael Duw yn y gorffennol, ac mi gofiodd o dy sarhad. Ti blannodd y mieri ar y llwybr rhag troi'n ôl, ac mi aeth dy ble i'r mudandod mawr. Mae'n dal yno mewn galaeth goll, yn atseinio mewn cylchoedd nes bod y sêr oll yn diffodd am yr un tro olaf, pan ddaw popeth i ben.

'Reit, sgen i ddim amser i wrando arna chdi'n malu awyr. Angen brecwast dwi, fydda i'n teimlo'n gallach wedyn.'

Torri'r bara fel cnawd. Tost llosg yn crafu'r gwddw a'i lanhau. Sigarét, i waredu ffresni anhaeddiannol y past dannedd. Y mwg yn chwerw, a'r llosg yn dy wddw'n braf. Anadlu allan, i eni nadroedd arian lond y lle, yn gwingo mewn poen fel petaen nhw mewn dŵr berwedig. Maen nhw'n hardd ac yn hyll wrth eu dawns boenus, ac yn diflannu'n hawdd. Fel yr hoffet ti.

Ond cadwa di'r gyllell yn ôl yn y drôr, rhag ofn. Rydych chi wedi dod i nabod eich gilydd yn dda. Sawl munud dreuliaist ti efo hi yn dy feddwod, ei miniogrwydd yn oeri dy arddyrnau, a'r wefr o feddwl y gallai un symudiad trwsgl dy wagio'n llwyr? Sut y byddai'n teimlo, tybed? Mi wn i ti ei ystyried droeon. Sut byddet ti'n cael dy hebrwng i ffwrdd ganddo? Yn esmwyth a didrafferth, neu fel cerflun disymud wedi'i daro gan ofn dy amheuon?

'Does gen i ddim ofn unrhyw beth, yn enwedig chdi. Dwyt ti'n ddim ond yn Llais. Ti ddim yno. Bydd ddistaw a gad i fi feddwl. Reit. Ia, 'sa coffi bach yn braf, a'i i wneud hynny.'

Panad fach felly, ia? Y llwnc yn llai pleserus na'r arogl. Roedd gennyt ti gryn obeithion i'r caffetiér 'na. Dwi'n dy gofio di'n ei olchi ar ôl bob paned nes ei fod yn sgleinio, ond fel popeth arall doedd yr ymdrech ddim werth y canlyniad. Mae'n edrych fel gwydr pryfaid genwair erbyn hyn, yn fudr ac yn afiach. Roeddet ti'n bwriadu dangos i dy ffrindiau mor soffistigedig oeddet ti, a gwneud allan dy fod yn ei ddefnyddio bob dydd. Ac mi wnest ti am sbel, yn enwedig pan fuost ti'n trwchu, yn do? Yr ysfeydd am i'r arogl sawrus lenwi'r gegin a threiddio drwot ti. Yn cynllunio stori'r dydd yn bwyllog uwch dy baned foreol, a ffantasïo am y bywyd bodlon sydd y tu hwnt i gyrraedd pawb.

Erbyn hyn rwyt ti'n smalio llunio englynion yr hoffet i rywun arall eu llunio amdanat ti. Englynion na chawn nhw mo'u hysgrifennu fyth. Gwnâi tristwch y peth gerdd ynddi'i hun.

'Ella ddaw Eira am banad nes 'mlaen. Wna i ei thecstio hi rŵan, gweld os ydi hi ffansi. Yna bydd gen i Lais call i wrando arno, ddim rhyw rith niwrotig sy mond isio sylw.'

Eira! Dy ffrind gorau, hithau wedi'i dallu o'i gwirfodd gan ei byd ei hun. Dydi'r haul ddim yn gweld y cysgodion mae'n eu creu. Y tro diwethaf fuodd hi yma ti a siaradodd bob gair, gan anwybyddu diflastod ei gwedd a chonsýrn pellennig ei thalcen at dy ymbalfalu di-gyfeiriad.

'Yli, dydi hynny ddim yn wir! Eira ydi fy ffrind i, fyddai hi ddim yn meddwl amdana i fel'na... Ella'i bod hi'n meddwl amdana i rŵan. Fydd hi'n falch i ddod yma.'

O na fydd, Anwen dwp. Ti heb groesi ei meddwl unwaith heddiw, dwi'n gwybod y pethau hyn i sicrwydd. Ffrindiau agos ydi'r rhai rhyfeddaf. Maen nhw mor agos na allan nhw bob tro weld y darlun cyfan, yn llenwi bylchau eu delwedd o'r ffrind perffaith i'r graddau eu bod nhw'n anwybyddu'r amlwg; llygaid niwlog a briwiau gwaetgoch a pheintio dros y boen fel petai hi'n dŷ dros y ffordd sy'n anharddu'r olygfa. Mor agos mewn cwmni a chwrw, ac mor bell wrth groesi'r trothwy am adref. Aeth Eira o'r fan hon droeon lawer heb falio na holi am y pethau nad oedd hi am eu clywed, wrth i ti ymgilio i domen dy ben, yn digio ati yn dy galon. Ceisio lleddfu'r boen drwy anwybyddu. Ceisio llenwi'r golled drwy siarad wast. Ymgais ddiymdrech bob tro. Roedd y gyllell yn galw o'r drôr yn ddireidus wrth i ti fynnu'r tosturi na chest ti gan eraill.

'Na! Mi wyt ti'n dweud celwydd rŵan, fel arfer! Mi welais i'r tosturi yn eu llygada nhw – dwi ddim yn ddiniwed nac yn ddwl nac yn ddall chwaith. Mi ydw i'n gweld yn iawn. Ond, ddywedon nhw erioed air. Ydi, mae'r gyllell weithiau'n galw. A ti'n gwbod be? Byddai hynny'n cau dy geg unwaith ac am byth.'

Bydd yn ofalus, Anwen. Dwi'n mwynhau ein sgyrsiau'n fawr, ond bydd yn ofalus. Daw'r daith i ben pan fydda i'n gorchymyn. Cyn hynny, mi ddalia' i i fwynhau dy ddagrau rhad a'm gafael arnat. Dwi'n mynd i'r unlle cyn i mi fy modloni'n hun. Mae enaid yn y fantol yma.

Ydw, dwi'n cyfaddef imi chwarae â fo'n y dechrau, ei gusanu a'i gofleidio a sibrwd geiriau cariad, a'i hudo'n araf gan bob cyffyrddiad a fentrwn. Ond maen nhw'n bethau gwydn, eneidiau, a dechreuodd ein gêm fach fy niflasu. Ro'n i ei eisiau i fi fy hun yn llwyr. Ac un dydd, fe gymerais o. Gerfydd ei wallt wrth iddo bledio am lonydd, i lawr lonydd cefn dy ben. Collodd o'r frwydr, ac wedi un waedd front gen i, fe lenwais i o â fy malais.

Rhwymais ei ddwylo. Anwybyddais ei ymbil. A'i gadw wna i at fy nifyrrwch, mewn stafell mor drybeilig ddu mae hyd yn oed yr ystlumod yn ei hofni. Tociais ei adenydd yn berffaith. Chaiff o ddim hedfan mwy. Fi sy'n berchen arno bellach.

'Bysa'n well taswn i ddim yn cofio bod yn rhydd. Mae'r cof yn beth cas. Roedd bywyd mor braf cyn i chdi ddod ata i.'

Ond ti agorodd y drws, Anwen – ti a neb arall. Dim ond derbyn y gwahoddiad wnes i. Fe gest ti dy sathru gan dy ddymuniad euog. A ti'n gwybod yn iawn am beth dwi'n sôn. Doeddet ti ddim mo'i eisiau, Anwen.

'Na, dwi ddim angen hyn heddiw. Siarada eto am mor ddiflas ydi bob dydd, neu hyd yn oed y caffetiér budur 'na. Ond ddim hyn. Ddim hyn bob blydi diwrnod...'

A byth ers hynny, miniogodd colled ei chleddyf, a'th drywanu'n ôl ei heisiau.

'Taw... plis jyst taw.'

Mi griaist di lond bedyddfaen pan gyrhaeddodd o. Roedd o mor ddidrafferth yn llithro allan, fel pysgodyn o law ei ddaliwr. Mi deimlaist di'r angau wrth gyffwrdd ei groen, hylltra'r pen bach coch a'i wythiennau amdano, a'r gwefusau main glas fyddai byth yn medru dweud 'Mam'.

Ac eto, fedret ti ddim helpu ond ei anwesu a'i gadw rhag popeth, popeth y dymunaist ti ganwaith na châi o eu gweld na'u cyffwrdd. Mi allet ti fod wedi siglo'r swp truenus hwnnw o gnawd diystyr yn dy freichiau hyd nes i goed olaf y rhos wywo, ond na. Nid felly aeth hi. Cafodd y gerdd ei gosod y foment honno, a fi ydi'r odl. Dwi'n cofio'i weld fy hun, yn ddim mwy i fi na thamaid i fwydo cŵn a brain dy ben, achos o'i enau marw main y ces i fodd i fyw. Fi gymrodd ei le yn dy freichiau. Fi ydi'r un y siglaist ti ar dy fron yn ei le, a'i fagu ar laeth dy wewyr.

'Dyna ddigon! Lle mae'r tabledi? Maen nhw yma'n rhywle... lle ddiawl dwi wedi'u rhoi nhw? Fyddan nhw'n cau dy geg.'

Does yna'm pilsen all fy ngwared i, Anwen, dim ond fy nhaflu lled-braich dros dro. Dwi wastad yn dy gwmni, yn dy ddilyn fel cath gyfrwys yn llygadu ei phrae, ac eto'n hy fel llew. Fydda i'n ôl ymhen hir a hwyr, mae fy nhennyn arnat ti'n dynn. Ac mi dy groga i di pan fynna i. Fydd yr un dabled yn fy stopio i rhag crebachu dy fyd.

'Fydd y ffisig yn gwneud ei waith. 'Sa hyd yn oed awr yn rhyddhad. Mi ga'i gwsg bach ar ei ôl. Fyddi di ddim yma erbyn imi ddeffro eto.'

Dihangfa beryg ydi cwsg, Anwen. Yr unig le i'r sawl sy'n ofni byw ac yn ofni marw. Er chei di ddim cysur ohono, dydi cwsg ddim ond yn rhith o'r byd hwn, mewn aur ac arian gwan. Lle i ail-fyw'r mân atgofion fel mewn fideo plentyndod, yn cydbwyso ar linyn cyn disgyn i'r dyfroedd yn ddyfnach bob tro. Fues i'n dy freuddwydion droeon, yn rhoi mêl gobaith arnynt, a throi deffro'n beltan. Pan fydd y wawr yn codi, dwi eisoes wedi dawnsio i dy alar, a thithau'n teimlo pwysau ergyd y boreau'n gwasgu'n dynnach bob dydd, a bydda i'n llonni yng ngwyll dy dŷ ar fflach arw olaf y machlud. Rwyt ti mor fach ynddo, wrth i'th fyd gau amdanat fesul eiliad nes dy fod yn briwsioni o'r tu fewn i'r tu allan, o dy galon i dy gnawd. Chei di ddim achubiaeth rhagof i mewn breuddwyd, Anwen. Fi sydd bia'r cyfan.

'Ti'n gwybod, mi allwn i'n hawdd fynd i rywle na allet ti fy nilyn. Mae yna un hafan. Ac mae'r ddau ohonon ni'n gwybod yn lle mae hi.'

Dwed di.

'Oes – mae 'na un lle – a ti'n ei ofni'n fwy na fi. Wsti be, Lais? Dwi wedi gweld fy hun yn y drych droeon dros y ddwy flynedd ddwetha 'ma. A dwi'n gwybod nad ydi'r adlewyrchiad ynddo'r un fath â phan o'n i'n fodlon fy myd. Mi wnest ti fy nhrechu i ganwaith. Rhoi clustog am fy wyneb, ond heb fod yn ddigon trugarog i orffen y gwaith. Dydw i ddim yn cofio faint o ddiwrnodau dreuliais i'n gwybod dim heblaw ein siarad gwyrdroëdig ni. Fi ydi deryn cawell dy gasineb, a dwi wedi bod yn gaeth ynddi'n rhy hir. Ond dwi ddim mor dwp ag wyt ti'n ei feddwl. Ro'n i'n ddisgybl wrth ddioddef. Wyt ti'n cl'wad y gyllell yn galw, Lais?'

Feiddiet ti ddim.

'Mae 'na lefydd na elli di fy nilyn i. Dwi'n nabod y llwybr bob cam, heb wybod ei ben. Does gen i'm bwriad rhannu'r daith efo chdi ddim mwy. Dos i'r tân. Efallai na fi fydd yn dy ganlyn di. Cawn ni'n dau ymdoddi ynddo fel caws meddal, ac mi chwardda i am y bydd o'n dy frifo di yn fwy na fi. Mi ffeindiais i gartref clyd mewn dioddef. A dwi'n dderyn sy'n mynnu bod yn rhydd.'

*

Pnawn da, Anwen. Wyt ti am ddeffro?

'Ges i bendro pan darodd y bilsen 'na. Weithiodd hi?'

Hynny, neu'r bygythiad, neu'r ddau. Mae'r pethau hyn yn gymhleth. Pam na wnei di gadw'r gyllell, Anwen? Mae'n addurn hyll, sydd ddim yn gweddu yn dy law.

'Opsiwn ydi hi, ddim addurn.'

Dy ddewis di fydd hynny. Dy un di a neb arall. Ond mi ddes i yma i dynnu'r glustog oddi arnat ti. Nid trugaredd fyddai gorffen y gwaith. Deffra, Anwen. Be weli di'n y drych rŵan?

'Yr un fath ag erioed. Twyllo'n hun fyddwn i'n dweud ei fod wedi newid.'

Cywir. Does dim wedi newid. Ond beth oedd angen ei newid? Mae'r llygaid yr un rhai, eu lliw'n pylu dwtsh, ond yr awch am fyw heb. Dwi'n gwybod dy fod yn ei weld, hyd yn oed pan fo'r aer o'th gwmpas yn drwm gan hunan-gasineb dwl. Oes, mae 'na grychau a ddaeth o golled; ond hefyd o oriau maith o lawenhau, o chwerthin a geiriau caredig. Rho'r boen i'r naill ochr â'r gyllell, gad iddi fynd. Mae oriel cof yn llawn lluniau o ddiwrnodau hir a hapus. Rho le iddyn nhw yn y dyddiau duaf oll. Ddown nhw ddim yn eu hôl, mae hyn yn wir, ond hedyn ydi hapusrwydd ddoe, a fydd yn tyfu'n flodau yng ngwên yfory. A dy wên di, Anwen, yw'r un all hudo angel o hyd. Wnest ti mo'i cholli, dim ond rhoi'r gorau i'w harfer. Daw eto ganeuon ohoni i'w canu yn dy soned di.

'Dwi'n... dwi'n nabod dy Lais di. Dwi heb dy gl'wad ers cyn co'. Lle fuost di? Lle oeddat ti pan oeddwn i dy angen di fwya? Oes gen ti unrhyw syniad be dwi wedi'i ddiodda?'

Oes. Mi deimlais i i'r byw bob deigryn oer. Mi glywais i ti drwy'r nosweithiau llonydd pan fuost ti'n udo crio i'r nefoedd. Teimlai fel petai dy stumog di'n wag, fel petaet ti wedi dy ddiberfeddu'n llwyr gan gigydd miniog ei gyllell a chreulon ei grefft.

Cyd-ddioddef yn dawel wnes i, drwy orchwyl caled parhau. Paid holi gormod, Anwen; y sut na'r pam na'r beth. Y pethau hynny'n fwy na dim sy'n gwneud i rywun wylo'i boen i fynwes nos. Mae'r sêr yn gwybod yr hyn y maen nhw'n ei wneud, ac ni elli di na neb arall ddirnad eu golau swil fymryn yn fwy nag y gelli di newid eu cwrs.

Rho rywfaint o hyder ynddyn nhw. Dydi eu cyfrinachau nhw o ddim defnydd i ti, ac mae gennyt ti ddigon o amser nes iddyn nhw dy alw i'w plith. Yn y bywyd hwn y gwnawn ni'r plethwaith mae'r blynyddoedd yn ei wau, ac weli di mo wir harddwch y ddelwedd honno nes i'r gwaith gael ei gwblhau.

Fe welais i ti'n troedio'r llefydd isel, yn llygad y dydd ymhlith creigiau llym, yn blaguro ac yn cau'n ôl nerth a gwendid. Roedd dy ymdrech di'n ofer i fod yn garreg – disigl, disymud, di-ball. Ond, Anwen, breuder blodyn sy'n ei wneud yn brydferth. Paid trio bod yn garreg.

'Sut arall mae dal ati felly, ar ôl popeth?'

Ymddiriedaa yndda i. Dwi'n gwybod beth dwi'n ei wneud, ac nid fi ydi'r unig un. Mae wastad pethau'n mynd rhagddynt sy'n newid bob dim, un tro sy'n creu tiwn newydd. Lle gadewaist ti'r caffetiér 'na? Golcha fo, rho goffi ynddo. Gwna iddo sgleinio unwaith eto, yn union fel y gelli di.

'Wel, pam lai, am wn i, mi wna i hynny rŵan. Ti'n llais y medra i wrando arno. Aros funud... beth oedd hwnna?'

Y drws, Anwen. Hwn ydi'r drws y dylet ti ei agor.

*

'Haia, ti'n iawn, cariad?'

'Eira?'

'Cywir – dan ni'n nabod ein gilydd ers digon i chdi gofio hynny, siŵr?!'

'Do'n i ddim yn disgwyl dy weld di.'

'Ia, sori 'nes i'm ateb dy decst di'n gynharach. Ro'n i'n meddwl y byddai'n well taswn i'n galw draw, jyst i weld sut mae pethau efo chdi… wyt ti'n olréit?'

'Ydw, Eira. Dwi'n meddwl fy mod i, ar hyn o bryd o leiaf.'

'Mae'n dda gen i glywed sdi, wir yr. Ew, mae hi fel ffair ar yr hen stryd fach 'ma heno.'

'O?'

'Pawb o gwmpas. Sean a Mari 'na ill dau'n mynd allan, choeli di fyth, i weld eu plant. Ddywedon nhw wrtha i eu bod nhw'n mynd â nhw adra heno, felly geith Mr Huws drws nesa i ni ddim cwsg efo'r sŵn. Er, roedd mab Mr Huws ac Alice a'r wyrion yn cerdded i'w le fo efo têc-awê jyst rŵan, felly fydd hi fawr tawelach fanno.'

'Iesgob, ffair go iawn.'

'Yn de? Ac roedd 'na ryw ddyn yn nhŷ – be ydi'i henw hi drws nesa i chdi – Pauline?'

'Pearl! Wel, pam lai, de, Eira? Mae'n braf cael cwmni. 'Sa hi'n gwneud lles i'r tŷ yma gael mwy ohono.'

'Wel, sôn am hynny, yli, dwi wedi bod bach yn fyrbwyll, Anwen. Rŵan, paid â rhoi ffrae i fi ond…'

'O na, be, Eira?'

'Yli, a dweud y gwir, y tro diwetha o'n i draw, mi o'n i'n

poeni amdanat ti. Poeni'n arw. Dwi'n gwybod dydi pethau ddim wedi bod yn hawdd i chdi, a dy fod ti heb fod yn chdi dy hun ers tro, ers, ti'n gwbod. Ers y babi. Alla i ddim dychmygu. A dwi mor sori fy mod i heb fod y ffrind sydd ei angen arna ti'n ddiweddar.'

'Diolch, Eira. Mae'i glywed o'n golygu lot, sdi, dwi'n ddiolchgar. Ond... fydda i'n dal yn ddiolchgar ar ôl clywed be ti wedi'i wneud?'

'Gawn ni weld... tyrd yma chdi, tyrd!'

'Ci Gwenfair?'

'Ci Gwenfair.'

'O helô, 'ngwas bach del i! O, diolch i chdi am y sws, ydw i'n cael un arall? O, mi wyt ti'n un da am godi calon rhywun, yn dwyt ti, boi? Hogyn da wyt ti, 'de! Ond... be wyt ti'n dda 'ma? Ydi Eira am ddweud wrtha i, dŵad?'

'Ydi, mae Eira am egluro popeth, Anwen. Oedd Tom yn dweud yn gynharach ei fod o'n ista'n tŷ 'na eto ar ben ei hun yn tywyllwch, fel arfer. A, wel, ti wastad yn siarad amdano fo, sdi, byth ers y diwrnod 'na rhoist ti ffrae i Gwenfair am fod yn gas efo fo. Felly dyma fi'n meddwl – i'r diawl â bod yn bwyllog ... dyweda helô wrth dy *housemate* newydd!'

'Be? Eira Davies dwyt ti ddim yn gall... a diolch byth am hynny! O, fedrwn i mo dy droi di allan 'na, biwti? Na fedrwn, tad. O, dwi'n edrych ymlaen yn barod ata chdi'n dod yma i fyw! Awn ni am dro i'r foel fory, heibio'r eglwys.

Fydd yn dda gen i glywed y nant eto, neith les i'r ddau ohonon ni!'

'Ac mi ddo i efo chdi, os ca'i. Neith les i fi hefyd! Byswn i'n licio cerdded lot mwy beth bynnag.'

'Wel, os dwi i edrych ar ei ôl a heb hawl i wrthod, y lleia y medri di ei wneud ydi dod am dro efo ni o bryd i'w gilydd!'

'Mi wna i, dwi'n addo. Diolch i Dduw, o'n i'n hanner meddwl y bysat ti'n fy lladd i! Hei, ogla coffi da 'ma! Gwell na ogla'r wisgi 'na oedd Tom bron â'i agor gynnau.'

'Bron?'

'Ia, bron. Rhaid bod 'na lais bach wedi dweud wrtho am wneud fel arall.'

'A chest ti ddim chwaith?'

'Naddo, tad.'

'Argol, wyt ti'n teimlo'n iawn? Wel, beryg ti'n y lle rong achos dwi newydd gofio bod gen i botel win 'ma, os ti ei ffansi hi?'

'Ia, dyna'r rheswm arall dwi yma. Pam na ddei di â hi draw aton ni heno 'ma, fel oedden ni'n arfer ei wneud? Tyrd â'r bych hefo chdi hefyd, allwn ni ddim mo'i adael o adra! Dan ni'n meddwl ordro rhywbeth i'w fwyta a gwylio rwtsh a chael diod, ond dim ond un fach, wrth gwrs. Mae angen i ni gerdded y ci fory wedi'r cwbl.'

'Bysa hynny'n eidîal. Diolch, Eira. Diolch o galon i chdi... Ti'n *siŵr* na chest ti bach o wisgi gynnau?'

'Hollol siŵr! Er, rhyngddo chdi a fi, baswn i'n taeru imi weld lisard yn trio dringo mewn i dŷ Rhisiart wrth imi basio...'

*

Caeodd Anwen y drws. Aeth ar ei gliniau, ac estyn am i'r ci ddod ati. Rhoddodd yntau ei ddwy goes flaen arni, a chwifiodd ei gynffon fach yn wyllt, fel na wnaeth ers tro byd. Syllodd y ddau i lygaid ei gilydd, ac roedd ar wyneb Anwen wên a hudodd angel.

'Wel, Sioni bach,' meddai wrtho, ac anwesu ei ben yn dyner, 'gallai hwn fod yn ddechrau newydd i ni ein dau. Dwi'n meddwl y byddan ni'n dod yn ffrindiau da yn sydyn iawn, chdi a fi, hyd yn oed yn fwy nag ydan ni rŵan. Byddan, tad. Fydd hi'n ddim o dro nes y byddwn ni'n dau'n ffrindiau gorau oll. Mi wyt *ti'n* dallt.'

Pumed Gainc y Mabinogi

PEREDUR GLYN

y lolfa

£8.99

LLWYD OWEN

O GLUST I GLUST

'Nofel sy'n brathu fel cyllell ar gnawd.' **ALUN DAVIES**

£8.99

Holwch am bris argraffu!
www.ylolfa.com